Lecture Notes in Mathematics

Edited by A. Dold and B. Eckmann

705

Otto Forster
Knut Knorr

Konstruktion verseller Familien kompakter komplexer Räume

Springer-Verlag
Berlin Heidelberg New York 1979

Autoren

Otto Forster
Mathematisches Institut
Westf. Wilhelms-Universität
Roxeler Str. 64
D-4400 Münster

Knut Knorr
Mathematisches Institut
Universität Regensburg
Universitätsstr. 31
D-8400 Regensburg

CIP-Kurztitelaufnahme der Deutschen Bibliothek. *Forster, Otto:* Konstruktion verseller Familien kompakter komplexer Räume / Otto Forster, Knut Knorr. – Berlin, Heidelberg, New York: Springer. 1979.
(Lecture notes in mathematics; Vol. 705)
NE: Knorr, Knut:

AMS Subject Classifications (1970): 32 G 05

ISBN 3-540-09122-X Springer-Verlag Berlin Heidelberg New York
ISBN 0-387-09122-X Springer-Verlag New York Heidelberg Berlin

Gesamtherstellung: Beltz Offsetdruck, Hemsbach/Bergstr.
2141/3140-543210

Einleitung

In seiner berühmten Abhandlung "Theorie der abelschen Funktionen"
stellte Riemann im Jahre 1857 den Satz auf, daß eine Riemannsche
Fläche vom Geschlecht $p \geq 2$ von $3p - 3$ Moduln (= komplexen Para-
metern) abhängt. Diese Aussage wurde durch Arbeiten von Teichmüller,
Rauch, Ahlfors, Bers und Grothendieck präzisiert und man gelangte
schließlich zur Konstruktion einer Familie $\pi: \mathcal{X} \longrightarrow S$ aller
Riemannschen Flächen vom Geschlecht p. Dabei sind S und $\mathcal{X}$ komplexe
Mannigfaltigkeiten der Dimension $3p - 3$ bzw. $3p - 2$ und π ist eine
eigentliche reguläre holomorphe Abbildung. Die Fasern $\pi^{-1}(s)$, $s \in S$,
durchlaufen alle kompakten Riemannschen Flächen vom Geschlecht p
mit ausgezeichneter Basis der ganzzahligen Homologie. Außerdem ist
$\mathcal{X} \longrightarrow S$ Lösung eines geeignet formulierten universellen Problems.

Bei der Verallgemeinerung dieser Theorie auf kompakte komplexe
Mannigfaltigkeiten höherer Dimension, die von Kodaira und Spencer
initiiert wurde, stellte sich heraus, daß es i.a. nicht mehr möglich
ist, alle kompakten komplexen Mannigfaltigkeiten eines bestimmten
topologischen Typs wie im Fall Riemannscher Flächen zu einer holo-
morphen Familie $\pi: \mathcal{X} \longrightarrow S$ zusammenzufassen, sondern daß man sich
mit der Betrachtung solcher Mannigfaltigkeiten begnügen muß, deren
komplexe Struktur von einer gegebenen kompakten komplexen Mannigfaltigkeit X nur wenig abweicht. Man gelangt so zum Begriff der
Deformation einer komplexen Mannigfaltigkeit X. Eine solche Deformation ist eine reguläre holomorphe Familie $\pi: Y \longrightarrow S$, wobei
nunmehr S ein komplexer Raumkeim mit ausgezeichnetem Punkt s_o ist
und die Faser $\pi^{-1}(s_o)$ sich mit der gegebenen Mannigfaltigkeit X
identifiziert. Die Deformation $\pi: Y \longrightarrow S$ heißt vollständig, wenn
es zu jeder anderen Deformation $\tau: Z \longrightarrow T$ von X über dem Raum-

Während eines Teils der Vorbereitszeit für diese Arbeit war der
zweitgenannte Autor Gast am Tata-Institut, Bombay. Er dankt dem Institut
für die gewährte Gastfreundschaft und die idealen Arbeitsbedingungen.

keim (T,t_o) einen Morphismus α: $(T,t_o) \longrightarrow (S,s_o)$ gibt, so daß
die Familie $Z \longrightarrow T$ mittels α aus $Y \longrightarrow S$ induziert wird. Die
Deformation heißt versell, wenn in der obigen Situation außerdem
das Differential von α im ausgezeichneten Punkt eindeutig bestimmt
ist.

Kodaira, Nirenberg und Spencer [19] bewiesen 1958 für kompakte
komplexe Mannigfaltigkeiten mit $H^2(X,\Theta_X) = O$ die Existenz von versellen Deformationen und vier Jahre später Kuranishi [20] für
kompakte komplexe Mannigfaltigkeiten ohne zusätzliche Bedingung.
Für kompakte komplexe Räume mit Singularitäten wurde das ent-
sprechende Modulproblem von Grothendieck [15] präzisiert und 1974
von Grauert [14] und Douady [6] gelöst. Eine weitere Lösung stammt
von Palamodov [28].

Die Beweise von Kodaira-Nirenberg-Spencer und Kuranishi benutzen
wesentlich die Theorie der fastkomplexen Strukturen und Sätze aus
der Theorie der elliptischen Differentialoperatoren. Diese Methoden
sind jedoch für komplexe Räume mit Singularitäten nicht anwendbar.
Deshalb mußten Grauert und Douady neue Techniken entwickeln. Eine
große Rolle spielt dabei die von Douady in [4] entwickelte Theorie
der Banach-analytischen Räume. Bei beiden Autoren erscheint der
Basisraum der versellen Deformation als Unterraum eines Banach-
analytischen Raumes, der dann mit einem Endlichkeitskriterium von
Douady als endlichdimensional erkannt wird.

Wir bringen in der vorliegenden Arbeit einen andersartigen Beweis
für die Existenz einer versellen Deformation eines kompakten komplexen
Raumes mit Hilfe der Potenzreihenmethode. Dabei wird, ausgehend von
einer formalen Lösung des Problems, deren Existenz durch einen allgemeinen Satz von Schlessinger [23] sichergestellt ist, Ordnung für
Ordnung eine "konvergente" verselle Deformation konstruiert. Die
Konvergenz wird dabei durch einen Majorantenkalkül kontrolliert, der
letztlich auf den "calcul des limites" von Cauchy zurückgeht. Kodaira
und Spencer [18] bewiesen bereits 1958 mit Potenzreihenmethoden
(ohne Potentialtheorie) ihren Vollständigkeitssatz für Deformationen

von kompakten komplexen Mannigfaltigkeiten. Für das Deformations-
problem von analytischen Raumkeimen wurden Potenzreihenmethoden von
Kerner [17], Tjurina [26] und Grauert [13] angewendet. Während in
den von Kerner und Tjurina behandelten Fällen die Basis der zu
konstruierenden Deformation a priori regulär ist, wird bei Grauert
die Basis im allgemeinen singulär. Um den dabei auftretenden
Schwierigkeiten begegnen zu können, entwickelte Grauert eine
Divisions- und Erweiterungstheorie für Potenzreihenideale, von der
auch wir in dieser Arbeit Gebrauch machen (und zwar in der Form,
wie sie in Kapitel I von [7] dargestellt ist).

Bei der Deformation von kompakten komplexen Räumen treten noch
zusätzliche Schwierigkeiten auf, die wir ähnlich wie bei Grauert
[14] durch eine verfeinerte Glättungstechnik überwinden. Außerdem
ist es für die Anwendbarkeit der Potenzreihenmethode nötig, einen
Differentialkalkül für Räume von Potenzreihen und eine konkrete
Hindernistheorie für die Fortsetzung von Deformationen um eine
Ordnung zu entwickeln. Wir haben in [8] die Konstruktion einer
versellen Deformation von kompakten komplexen Mannigfaltigkeiten
für den klassischen Fall von Kodaira-Nirenberg-Spencer mit Hilfe
der Potenzreihenmethode durchgeführt. Dort treten bereits alle
wesentlichen Schwierigkeiten in vereinfachter Form auf. Deshalb
sei dem Leser die Arbeit [8] oder auch [9] als vorbereitende
Lektüre empfohlen.

I n h a l t

Kapitel I. Theorie

Kapitel II. Glättungssatz

Kapitel III. Konvergenzbeweis

Kapitel I. Theorie

Dieses Kapitel dient der theoretischen Vorbereitung für die
Konstruktion einer versellen Deformation eines kompakten
komplexen Raumes. Nach einigen allgemeinen Definitionen in den
§§ 1 und 2 beschreiben wir in den §§ 3 und 4 die lokale Einbettung einer Deformation in das Produkt eines Polyzylinders
mit dem Parameterraum. Dort läßt sich die Deformation darstellen durch eine freie Auflösung der Strukturgarbe, welche
wiederum durch eine Folge von Matrizen konkret gegeben wird.
Um die Verheftung der lokalen Deformationen miteinander zu
beschreiben, definieren wir in § 5 die Einspannung eines kompakten komplexen Raumes. Die globalen Deformationen lassen
sich damit durch gewisse nicht-abelsche Cozyklen darstellen.
Bezüglich einer gegebenen Einspannung wird in § 6 ein sog.
Extensionskomplex eingeführt (dieser Komplex ist zwar nicht
invariant, reicht aber für unsere Bedürfnisse). Die erste
Cohomologie des Extensionskomplexes liefert den Vektorraum
der infinitesimalen Deformationen. In § 7 zeigen wir, daß
die zweite Cohomologie des Extensionskomplexes die Hindernisse gegen die Fortsetzung einer Deformation bei kleiner Erweiterung der Basis enthält.

§ 1. Deformationen komplexer Räume
==================================

1.1. Eine holomorphe Abbildung $f\colon Y \longrightarrow S$ zwischen zwei
komplexen Räumen Y und S heißt <u>platt</u> im Punkt $y \in Y$, wenn
$\mathcal{O}_{Y,y}$ ein platter $\mathcal{O}_{S,f(y)}$-Modul ist. Nach einem Satz von
J. Frisch [10] ist die Menge der Punkte $y \in Y$, in denen f
nicht platt ist, analytisch. Insbesondere folgt daraus:
Ist die Abbildung f platt in allen Punkten der Faser
$Y_O := f^{-1}(s_O)$ eines Punktes $s_O \in S$, so ist sie in einer
ganzen Umgebung von Y_O platt.

1.2. Sei (S,s_O) oder kurz S ein komplexer Raumkeim. Unter
einer <u>Familie komplexer Räume</u> $\pi\colon Y \overset{\cdot}{\longrightarrow} S$ über dem Raumkeim
S verstehen wir eine Äquivalenzklasse von holomorphen Ab-
bildungen $\pi'\colon Y' \longrightarrow S'$, wobei Y' ein komplexer Raum und
S' Repräsentant von S ist, modulo folgender Äquivalenz-
relation: Zwei solche Abbildungen $\pi_i\colon Y_i \longrightarrow S_i$, $i = 1,2$,
heißen äquivalent, wenn es offene Umgebungen $V_i \subset S_i$ von
s_O und $U_i \subset Y_i$ von $\pi_i^{-1}(s_O)$ mit $\pi_i(U_i) \subset V_i$ gibt, so daß
$\pi_1\colon U_1 \longrightarrow V_1$ identisch gleich $\pi_2\colon U_2 \longrightarrow V_2$ ist.

Seien (S_i,s_i), $i = 1,2$ zwei komplexe Raumkeime,
$\xi_i = (\pi_i\colon Y_i \longrightarrow S_i)$, $i = 1,2$, zwei Familien komplexer Räume
über S_i und $\phi\colon S_1 \longrightarrow S_2$ ein Morphismus von Raumkeimen.
Unter einem Morphismus $\xi_1 \longrightarrow \xi_2$ über ϕ versteht man eine
Äquivalenzklasse kommutativer Diagramme holomorpher Ab-
bildungen

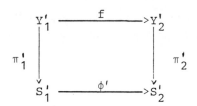

wobei $\pi_i'\colon Y_i' \longrightarrow S_i'$ Repräsentanten von ξ_i und ϕ' ein
Repräsentant von ϕ ist. Die Äquivalenz ist in naheliegender
Weise zu verstehen.

Ist $\pi\colon Y \longrightarrow S$ eine Familie komplexer Räume über dem Raumkeim (S,s_o), so ist die zentrale Faser $(\pi')^{-1}(s_o)$ unabhängig
vom Repräsentanten $\pi'\colon Y' \longrightarrow S'$ von $\pi\colon Y \longrightarrow S$ und wird
mit $\pi^{-1}(s_o)$ bezeichnet.

Ist die zentrale Faser $\pi^{-1}(s_o)$ einer Familie $\pi\colon Y \longrightarrow S$
komplexer Räume über einem Raumkeim kompakt, so gibt es einen
Repräsentanten $\pi'\colon Y' \longrightarrow S'$, wo π' eine eigentliche holomorphe Abbildung ist. In diesem Fall besitzt $(\pi')^{-1}(s_o)$ in
Y' ein Fundamentalsystem von bzgl. π' saturierten Umgebungen.

Eine Familie $\pi\colon Y \longrightarrow S$ komplexer Räume über einen Raumkeim
S heißt platt, wenn es einen Repräsentanten $\pi'\colon Y' \longrightarrow S'$
gibt, wo π' eine (überall)platte Abbildung ist. Dafür daß
die Familie $\pi\colon Y \longrightarrow S$ platt ist, genügt es zu wissen, daß
sie einen Repräsentanten besitzt, der in jedem Punkt der
zentralen Faser platt ist.

1.3. Definition. Sei X ein komplexer Raum und (S,s_o) ein
komplexer Raumkeim. Unter einer Deformation von X über S versteht man eine platte Familie komplexer Räume $\pi\colon Y \longrightarrow S$
zusammen mit einem Isomorphismus $\tau\colon X \longrightarrow \pi^{-1}(s_o)$.

Seien (ξ_i,τ_i), $\xi_i = (\pi_i\colon Y_i \longrightarrow S_i)$, $\tau_i\colon X \longrightarrow \pi_i^{-1}(s_i)$,
$i = 1,2$, Deformationen von X. Unter einem Morphismus
$(\xi_1,\tau_1) \longrightarrow (\xi_2,\tau_2)$ versteht man einen Morphismus

$\xi_1 \longrightarrow \xi_2$ von Familien komplexer Räume, der mit den τ_i verträglich ist.

Ist $Y \longrightarrow S$ eine Deformation von X und $\phi\colon T \longrightarrow S$ ein
Morphismus von Raumkeimen, so ist das Faserprodukt
$Y \times_S T \longrightarrow T$ wieder eine Deformation von X.

Eine Deformation von X über dem Doppelpunkt $p_1 = (0, \mathbb{C}[\varepsilon])$ heißt
infinitesimale Deformation von X.

Wir bezeichnen mit $\mathrm{Def}(X,S)$ die Menge aller Isomorphieklassen
von Deformationen des komplexen Raumes X über S.

1.4. Definition. a) Eine Deformation ξ von X heißt
vollständig, wenn es zu jeder weiteren Deformation ξ' von
X einen Morphismus $\xi' \longrightarrow \xi$ gibt.

b) Eine Deformation $\xi = (Y \longrightarrow S, \tau)$ heißt effektiv, wenn
folgendes gilt: Ist $\xi' = (Y' \longrightarrow S', \tau')$ eine weitere Deformation von X und sind $f_i: \xi' \longrightarrow \xi$, i = 1,2, Morphismen
über $\phi_i: S' \longrightarrow S$, so folgt $d\phi_1 = d\phi_2$ im ausgezeichneten
Punkt.

c) Eine Deformation ξ von X heißt versell, wenn sie vollständig und effektiv ist.

1.5. Sei e eine natürliche Zahl. Ein komplexer Raumkeim S
heißt von der Ordnung e, wenn für das maximale Ideal m
seines lokalen Rings gilt m^{e+1} = 0. Eine Deformation
$(Y \longrightarrow S, \tau)$ von X heißt von der Ordnung e, wenn S von der
Ordnung e ist.
Eine Deformation ξ von X der Ordnung e heißt e-vollständig,
wenn es zu jeder Deformation ξ' von X der Ordnung e einen
Morphismus $\xi' \longrightarrow \xi$ gibt. ξ heißt e-versell, wenn ξ
e-vollständig und effektiv ist.

1.6. Sei A eine formale analytische Algebra mit maximalem
Ideal m. Die Algebra A/m^{e+1} ist der lokale Ring eines gewissen Raumkeimes S_e der Ordnung e. Die kanonische Abbildung
$A/m^{e+2} \longrightarrow A/m^{e+1}$ induziert einen Raumkeimmorphismus
$\alpha_e: S_e \longrightarrow S_{e+1}$. Wir nennen die Familie $(S_e, \alpha_e)_{e \in \mathbb{N}}$ einen
formalen Raumkeim (vgl. [7]).

Eine formale Deformation eines komplexen Raumes X über dem
formalen Raumkeim (S_e, α_e) ist eine Folge (ξ_e, ψ_e), wobei ξ_e
eine Deformation von X über S_e und $\psi_e: \xi_e \longrightarrow \xi_{e+1}$ ein
Morphismus von Deformationen über α_e ist. Die Begriffe
vollständig, effektiv und versell für formale Deformationen
sind in naheliegender Weise definiert.

Aus einem allgemeinen Satz von Schlessinger [23] folgt
(vgl. Schuster [24]):

<u>1.7. Satz.</u> Sei X ein kompakter komplexer Raum.

a) Es existiert eine formale verselle Deformation Ξ von X.

b) Eine formale Deformation $\Xi = (\xi_e, \psi_e)$ ist genau dann versell, wenn alle ξ_e e-versell sind.

Jeder Deformation ξ eines komplexen Raumes X kann in natürlicher Weise eine formale Deformation $\Xi = (\xi_e, \psi_e)$ zugeordnet werden. ξ heißt <u>formal versell</u>, wenn die zuge-ordnete formale Deformation Ξ versell ist. Nach Schuster [24] und Wavrik [27] gilt:

<u>1.8. Satz.</u> Eine Deformation ξ eines kompakten komplexen Raumes X ist genau dann versell, wenn sie formal versell ist.

Das Ziel dieser Arbeit ist der Beweis des folgenden Satzes.

<u>Hauptsatz.</u> Zu jedem kompakten komplexen Raum X existiert eine verselle Deformation.

§ 2. Plattheit

In diesem Paragraphen stellen wir einige nützliche Tatsachen über platte Moduln und Morphismen zusammen.

2.1. Satz (Bourbaki). Seien A, B lokale noethersche Ringe, $\phi: A \longrightarrow B$ ein lokaler Morphismus und $\mathcal{m}$ das maximale Ideal von A. Weiter sei M ein endlich erzeugter B-Modul. Dann gilt: Genau dann ist M platt über A, wenn $\mathrm{Tor}_1^A(A/\mathcal{m},M)=0$ ist. (Vgl. [1], Chap. III, § 5, Théorème 1.)

2.2. Bezeichnungen. Seien A, B lokale noethersche Ringe, $\phi: A \longrightarrow B$ ein lokaler Morphismus und $\mathcal{m}$ das maximale Ideal von A. Für einen B-Modul M setzen wir

$$M(O) := M/\phi(\mathcal{m})M.$$

Ist $f: M \longrightarrow N$ ein Morphismus von B-Moduln, so sei $f(O) : M(O) \longrightarrow N(O)$ der induzierte Morphismus.

2.3. Relationenkriterium. Seien A, B lokale noethersche Ringe und $\phi: A \longrightarrow B$ ein lokaler Morphismus. Weiter sei M ein endlich erzeugter B-Modul und

$$Q \longrightarrow P \longrightarrow M \longrightarrow O$$

eine exakte B-Modulsequenz, wobei P platt über A ist. Dann sind folgende Aussagen äquivalent:

i) M ist A-platt

ii) Die Abbildung

$$\mathrm{Ker}(Q \longrightarrow P) \longrightarrow \mathrm{Ker}(Q(O) \longrightarrow P(O))$$

ist surjektiv.

Beweis. Sei R := Ker(Q ──>P). Man betrachte das kommutative Diagramm

$$
\begin{array}{ccccccccc}
R & \longrightarrow & Q & \longrightarrow & P & \longrightarrow & M & \longrightarrow & O \\
\downarrow & & \downarrow & & \downarrow & & \downarrow & & \\
R(O) & \longrightarrow & Q(O) & \longrightarrow & P(O) & \longrightarrow & M(O) & \longrightarrow & O,
\end{array}
$$

dessen erste Zeile exakt ist. Da P platt über A ist, gilt

$$
\text{Tor}_1^A(A/m, M) = \text{Ker}(Q(O) \longrightarrow P(O)) / \text{Im}(R(O) \longrightarrow Q(O)).
$$

Nach dem Satz von Bourbaki (2.1) ist M genau dann platt über A, wenn die zweite Zeile exakt ist. Dies ist aber äquivalent zur Bedingung (ii).

2.4. Lemma. Sei A ein kommutativer Ring und α ein Ideal von A. Weiter sei

$$
Q \longrightarrow P \longrightarrow O
$$

eine exakte Sequenz von A-Moduln, wobei P platt über A ist. Dann gilt für den Modul $N := \text{Ker}(Q \longrightarrow P)$, daß

$$
N \cap \alpha Q = \alpha N.
$$

(Vgl. Bourbaki [1] Chap. I, cor. de la prop. 7.)

2.5. Exaktheitskriterium. Seien A, B lokale noethersche Ringe und $\phi: A \longrightarrow B$ ein lokaler Morphismus. Sei

$$
(*) \qquad P_k \longrightarrow \ldots \longrightarrow P_1 \longrightarrow P_o \longrightarrow O
$$

ein Komplex von endlich erzeugten B-Moduln, die platt über A sind. Dann gilt: Die Sequenz (*) ist genau dann exakt, wenn der Komplex

$$
P_k(O) \longrightarrow \ldots \longrightarrow P_1(O) \longrightarrow P_o(O) \longrightarrow O
$$

exakt ist.

8

Dieses Kriterium läßt sich unter Verwendung von Lemma
(2.4) leicht mit Hilfe des Lemmas von Nakayama beweisen.

2.6. Isomorphiekriterium. Gegeben sei ein kommutatives
Diagramm

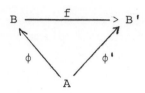

in der Kategorie der analytischen Algebren. Dann gilt:
a) Ist $f(0): B(0) \longrightarrow B'(0)$ surjektiv, so ist auch
   $f: B \longrightarrow B'$ surjektiv.
b) Ist B' vermöge ϕ' platt über A und $f(0): B(0) \longrightarrow B'(0)$
   ein Isomorphismus, so ist auch $f: B \longrightarrow B'$ ein Isomorphismus.

Beweis. Seien $m \subset A$, $n \subset B$ und $n' \subset B'$ die maximalen Ideale.

a) Aus der Surjektivität von $f(0)$ folgt

$$f(n) + \phi'(m)B' = n', \text{ also } f(n)B' = n'.$$

Aus einem Corollar des Weierstraßschen Vorbereitungssatzes
(vgl. [12] , Kap. II, § 2, Satz 3) ergibt sich daraus, daß
f surjektiv ist.

b) Sei $K := \operatorname{Ker} f.$ Nach (a) ist die Sequenz

$$0 \longrightarrow K \longrightarrow B \xrightarrow{f} B' \longrightarrow 0$$

exakt. Tensorieren mit A/m liefert, daß $K(0) = 0$.
Nach Nakayama folgt $K = 0$.

2.7. Bemerkung. Seien $(\pi_i : Y_i \longrightarrow S, \tau_i)$, $i = 1,2$ zwei Deformationen des komplexen Raumes X über dem selben Raumkeim S. Aus (2.6) folgt, daß jeder Morphismus von Deformationen

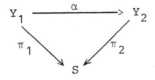

ein Isomorphismus ist. Zum Beweis verwendet man noch folgende rein topologische Aussage:

Hilfssatz. Seien Y_1, Y_2, S lokalkompakte topologische Räume mit abzählbarer Topologie und

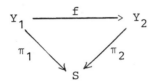

ein kommutatives Diagramm stetiger Abbildungen. Die Abbildung f sei lokal topologisch und für ein $s_o \in S$ sei $f | \pi_1^{-1} \{s_o\}$ injektiv. Dann gibt es eine offene Umgebung U von $\pi_1^{-1} \{s_o\}$ in Y_1, so daß $f | U$ injektiv ist.

§ 3. Lokale Einbettung von Deformationen.
===

3.1. Für den ganzen Paragraphen sei X ein abgeschlossener analytischer Unterraum einer Steinschen offenen Menge $D \subset \mathbb{C}^N$ und

$$0 \longleftarrow \mathcal{O}_X \longleftarrow \mathcal{O}_{\mathbb{C}^N} \xleftarrow{P_1^0} \mathcal{O}_{\mathbb{C}^N}^{\ell_1} \xleftarrow{P_2^0} \ldots \xleftarrow{P_N^0} \mathcal{O}_{\mathbb{C}^N}^{\ell_N} \longleftarrow 0$$

eine freie Auflösung der Strukturgarbe von X über D.

Weiter sei ein komplexer Raumkeim (S, s_0) vorgegeben.

3.2. Sei $\pi: Y \longrightarrow S$ eine Familie komplexer Räume mit zentraler Faser X. Dann gibt es eine Einbettung $j: Y \longrightarrow D \times S$, so daß das Diagramm

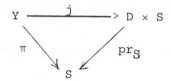

kommutiert und die Beschränkung von j auf die zentrale Faser $j(0): X \longrightarrow D \times \{s_0\}$ mit der Zusammensetzung der Inklusionen $X \longhookrightarrow D \longhookrightarrow D \times \{s_0\}$ übereinstimmt. Dies beweist man so: Seien $\phi_1, \ldots, \phi_N$ die Beschränkungen der kanonischen Koordinatenfunktionen des $\mathbb{C}^N$ auf X. Nach einem Satz von Siu [25] besitzt Y einen Steinschen Repräsentanten (für den Fall, daß S artinsch ist, ist dies trivial). Deshalb lassen sich die ϕ_j zu holomorphen Funktionen Φ_j auf Y fortsetzen. Nun definiere man

$$j := (\Phi_1, \ldots, \Phi_N; \pi) : Y \longrightarrow D \times S.$$

Nach (2.6a) ist j eine Einbettung.

3.3. Satz. Sei $Y \subset D \times S$ ein analytischer Unterraum mit $Y \cap (D \times \{s_o\}) = X \times \{s_o\}$. Dann sind folgende Aussagen äquivalent:

    i) Y liegt platt über S.

    ii) Es gibt über D eine $\mathcal{O}_{\mathbb{C}^N \times S}$ -Modulsequenz

$$0 \longleftarrow \mathcal{O}_Y \longleftarrow \mathcal{O}_{\mathbb{C}^N \times S} \xleftarrow{\ P_1\ } \mathcal{O}_{\mathbb{C}^N \times S}^{\ell_1} \xleftarrow{\ P_2\ } \mathcal{O}_{\mathbb{C}^N \times S}^{\ell_2}$$

mit $P_j(0) = P_j^o$, $j = 1,2$, so daß

    Coker $P_1 = \mathcal{O}_Y$ und $P_1 P_2 = 0$.

(Dabei bezeichnet $P_j(0)$ die Beschränkung von P_j auf $D \times \{s_o\} \cong D$.)

Zusatz. Unter der Voraussetzung von (i) läßt sich jede $\mathcal{O}_{\mathbb{C}^N \times S}$ -Modulsequenz, die den Bedingungen von (ii) genügt, zu einem $\mathcal{O}_{\mathbb{C}^N \times S}$ -Modulkomplex

$$0 \longleftarrow \mathcal{O}_Y \longleftarrow \mathcal{O}_{\mathbb{C}^N \times S} \xleftarrow{\ P_1\ } \mathcal{O}_{\mathbb{C}^N \times S}^{\ell_1} \longleftarrow \cdots \xleftarrow{\ P_N\ } \mathcal{O}_{\mathbb{C}^N \times S}^{\ell_N} \longleftarrow 0$$

mit $P_j(0) = P_j^o$, $j = 1,\ldots,N$, fortsetzen. Dieser Komplex ist sogar exakt.

Beweis. Die Implikation (ii) $\Longrightarrow$ (i) folgt aus dem Relationen-kriterium (2.3), da $\mathcal{O}_{\mathbb{C}^N \times S}$ platt über $\mathcal{O}_S$ ist (vgl. [5]).

(i) $\Longrightarrow$ (ii). Aus Theorem B folgt die Existenz eines Morphismus

$$P_1 : \mathcal{O}_{\mathbb{C}^N \times S}^{\ell_1} \longrightarrow \mathcal{O}_{\mathbb{C}^N \times S} \quad \text{mit } P_1(0) = P_1^o, \text{ so daß}$$

$$0 \longleftarrow \mathcal{O}_Y \longleftarrow \mathcal{O}_{\mathbb{C}^N \times S} \xleftarrow{\ P_1\ } \mathcal{O}_{\mathbb{C}^N \times S}^{\ell_1}$$

ein Komplex ist. Nach dem Exaktheitskriterium (2.5) ist
dieser Komplex sogar exakt. Aus dem Relationenkriterium
wiederum folgt, daß man den Komplex durch Morphismen
$P_2,\ldots,P_N$ mit $P_j(O) = P_j^O$ fortsetzen kann. Erneute Anwendung
von (2.5) ergibt die Exaktheit.

3.4. Mehrdeutigkeit der Auflösung. Sei $Y \subset D \times S$ eine
Deformation von $X \subset D$, (d.h. $Y \cap (D \times \{s_O\}) = X \times \{s_O\}$ und
Y liegt platt über S). Es seien $P = (P_1,\ldots,P_N)$ und
$\tilde{P} = (\tilde{P}_1,\ldots,\tilde{P}_N)$ zwei Auflösungen von $\mathcal{O}_Y$ mit $P(O) = \tilde{P}(O) = P^O$
wie im Zusatz zu Satz (3.3). Aus dem Relationenkriterium
(2.3) folgt, daß es $\mathcal{O}_{\mathbb{C}^N \times S}$ -Modulmorphismen

$$T_j : \mathcal{O}_{\mathbb{C}^N \times S}^{\ell_j} \longrightarrow \mathcal{O}_{\mathbb{C}^N \times S}^{\ell_j} \quad , \quad j = 1,\ldots,N,$$

mit $T_j(O) = 1$ gibt, so daß das Diagramm

$$
\begin{array}{ccccccccccc}
\mathcal{O}_{\mathbb{C}^N \times S} & \xleftarrow{P_1} & \mathcal{O}_{\mathbb{C}^N \times S}^{\ell_1} & \longleftarrow & \cdots & \longleftarrow & \mathcal{O}_{\mathbb{C}^N \times S}^{\ell_{N-1}} & \xleftarrow{P_N} & \mathcal{O}_{\mathbb{C}^N \times S}^{\ell_N} & \longleftarrow & 0 \\
\downarrow{\scriptstyle 1} & & \downarrow{\scriptstyle T_1} & & & & \downarrow{\scriptstyle T_{N-1}} & & \downarrow{\scriptstyle T_N} & & \\
\mathcal{O}_{\mathbb{C}^N \times S} & \xleftarrow{\tilde{P}_1} & \mathcal{O}_{\mathbb{C}^N \times S}^{\ell_1} & \longleftarrow & \cdots & \longleftarrow & \mathcal{O}_{\mathbb{C}^N \times S}^{\ell_{N-1}} & \xleftarrow{\tilde{P}_N} & \mathcal{O}_{\mathbb{C}^N \times S}^{\ell_N} & \longleftarrow & 0
\end{array}
$$

kommutiert, d.h. $T_{j-1}P_j = \tilde{P}_j T_j$ für $j = 1,\ldots,N$, wobei
$T_O = 1$ gesetzt wird. Für dieses Gleichungssystem schreiben
wir abkürzend

$$T[-1]P = \tilde{P}T.$$

3.5. Mehrdeutigkeit der Einbettung. Unter einem vertikalen
Automorphismus von $D \times S$ verstehen wir einen Morphismus
$g: D \times S \longrightarrow D \times S$, der mit der Projektion auf S verträglich
ist und die Bedingung $g(O) = id_D$ erfüllt, vgl. [8], § 2.2.

(Dabei ist g(O) die Beschränkung von g auf $D \times \{s_o\} \cong D$.)

Seien nun Y, $\tilde{Y} \subset D \times S$ zwei Deformationen von X, die isomorph sind. Dann folgt aus Theorem B, daß es einen vertikalen Automorphismus g von $D \times S$ gibt, der Y in $\tilde{Y}$ transformiert. Ist $\tilde{P} = (\tilde{P}_1, \ldots, \tilde{P}_N)$ eine Auflösung von $\mathcal{O}_{\tilde{Y}}$ wie oben, so ist der Rücktransport $P := \tilde{P}(g)$ eine Auflösung von $\mathcal{O}_Y$.

§ 4. Die Garbe der Pseudodeformationen

4.1. Für den ganzen Paragraphen legen wir folgende Situation zugrunde:

Sei $D \subset \mathbb{C}^N$ eine Steinsche offene Menge, X ein abgeschlossener analytischer Unterraum von D und

$$\mathcal{O}_{\mathbb{C}^N} \xleftarrow{\;P_1^o\;} \mathcal{O}_{\mathbb{C}^N}^{\ell_1} \xleftarrow{\;P_2^o\;} \cdots \xleftarrow{\;P_N^o\;} \mathcal{O}_{\mathbb{C}^N}^{\ell_N} \longleftarrow 0,$$

$$\mathcal{O}_X = \mathcal{O}_{\mathbb{C}^N} / \mathrm{Im}\, P_1^o ,$$

eine Auflösung der Strukturgarbe von X.

Wir fassen die Schnitte von $\mathcal{O}_{\mathbb{C}^N}^{\ell_j}$ als Spaltenvektoren und die Abbildungen P_j^o als $\ell_{j-1} \times \ell_j$-Matrizen mit Koeffizienten aus $\Gamma(D, \mathcal{O}_{\mathbb{C}^N})$ auf (dabei ist $\ell_o = 1$ gesetzt).

Weiter sei B stets des Keim des $\mathbb{C}^m$ im Nullpunkt und $\mathbb{C}\{t_1,\ldots,t_m\}$ sein lokaler Ring.

Jeder $\mathcal{O}_{\mathbb{C}^N \times B}$-Modulmorphismus

$$\phi: \mathcal{O}_{\mathbb{C}^N \times B}^k \longrightarrow \mathcal{O}_{\mathbb{C}^N \times B}^{\ell}$$

über einer offenen Menge $U \subset \mathbb{C}^N$ wird gegeben durch eine $\ell \times k$-Matrix mit Koeffizienten aus $\Gamma(U, \mathcal{O}_{\mathbb{C}^N \times B})$, läßt sich also in eine Potenzreihe

$$\phi = \sum_{\nu \in \mathbb{N}^m} \phi_\nu t^\nu, \quad \phi_\nu \in M(\ell \times k, \Gamma(U, \mathcal{O}_{\mathbb{C}^N}))$$

entwickeln. Wir setzen $\phi(O) := \phi_o$.

4.2. Definition. Für eine offene Menge $U \subset D$ bezeichne $\mathcal{P}(U)$ die Menge aller N-tupel $P = (P_1, \ldots, P_N)$, wobei

$$P_j : \mathcal{O}_{\mathbb{C}^N \times B}^{\ell_j} \longrightarrow \mathcal{O}_{\mathbb{C}^N \times B}^{\ell_{j-1}}$$

ein $\mathcal{O}_{\mathbb{C}^N \times B}$ -Modulmorphismus mit $P_j(0) = P_j^0$ ist $(j=1, \ldots, N)$.

Zusammen mit den natürlichen Beschränkungsmorphismen erhält man auf D die Garbe $\mathcal{P}$ der <u>Pseudodeformationen</u> von X. Sei S ein Unterkeim von B. Ein Element $P = (P_1, \ldots, P_N) \in \mathcal{P}(U)$ heißt <u>Komplex über</u> S, falls

$$P_{j-1} P_j \,\big|\, U \times S = 0 \quad \text{für } j = 2, \ldots, N.$$

<u>Bemerkung.</u> Nach Satz (3.3) definiert ein Komplex $P = (P_1, \ldots, P_N)$ über S eine exakte Sequenz

$$\mathcal{O}_{\mathbb{C}^N \times S} \xleftarrow{\;\;P_1\;\;} \mathcal{O}_{\mathbb{C}^N \times S}^{\ell_1} \longleftarrow \ldots \xleftarrow{\;\;P_N\;\;} \mathcal{O}_{\mathbb{C}^N \times S}^{\ell_N} \longleftarrow 0$$

und $\mathcal{O}_Y := \mathcal{O}_{\mathbb{C}^N \times S} / \mathrm{Im} P_1$ ist die Strukturgarbe einer in $U \times S$ eingebetteten Deformation Y von $X \cap U$.

Ist umgekehrt $U \subset D$ eine offene Steinsche Teilmenge, so kann jede Deformation von $X \cap U$ über S auf diese Weise durch einen Komplex $P \in \mathcal{P}(U)$ über S realisiert werden.

4.3. Wir bezeichnen mit $\mathcal{G}$ die Garbe der <u>vertikalen Auto-morphismen</u> von $\mathbb{C}^N \times B$. Für eine offene Menge $U \subset \mathbb{C}^N$ besteht also $\mathcal{G}(U)$ aus allen vertikalen Automorphismen $g: U \times B \longrightarrow U \times B$. Die Abbildung g hat die Gestalt $(z,t) \longmapsto (g(z,t), t)$, wobei

$$g(z,t) = z + \sum_{|\nu| \geq 1} q_\nu(z) t^\nu, \quad g_\nu \in \Gamma(U, \mathcal{O}_{\mathbb{C}^N})^N.$$

4.4. Wir führen nun einige für das folgende nützliche Bezeichnungen und Sprechweisen ein.

a) Ist U offen in D und $P = (P_1,\ldots,P_N) \in \Gamma(U,\mathcal{P})$, so bezeichnen wir mit (P) die Idealgarbe $\mathrm{Im}P_1$ in $\mathcal{O}_{\mathbb{C}^N \times B}$.

b) Seien $P,P' \in \Gamma(U,\mathcal{P})$ und $g \in \Gamma(U,\mathcal{G})$. Ist dann $S \subset B$ ein
Unterkeim, so bedeutet das Symbol

$$g: (P) \longrightarrow (P') \text{ über } S \ ,$$

daß P und P' Komplexe über S sind und daß gilt

$$(P) = (P'(g)) \text{ über } S.$$

Dies bedeutet, daß P und P' Deformationen Y bzw. Y' von $X \cap U$
über S definieren und g einen Isomorphismus von Y auf Y'
liefert.

c) Seien $P,P',P'' \in \Gamma(U,\mathcal{P})$ und $f,g,h \in \Gamma(U,\mathcal{G})$. Ist $S \subset B$
ein Unterkeim, so nennen wir das Diagramm

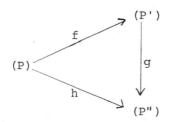

kommutativ über S, falls gilt:

    i)   f: (P) $\longrightarrow$ (P'), g: (P') $\longrightarrow$ (P''), h: (P) $\longrightarrow$ (P'') über S.
    ii) $g \circ f \equiv h \mod (P)$ über S.

Dies bedeutet folgendes: Seien $Y,Y',Y'' \subset U \times S$ die durch
P,P',P'' definierten Deformationen von $X \cap U$ über S. Dann induzieren f,g,h ein kommutatives Diagramm von Isomorphismen

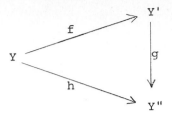

4.5. Cozyklen. a) Sei $\mathcal{U} = (U_i)_{i \in I}$ eine endliche Familie offener Teilmengen von D. Dann setzen wir

$$c^1(\mathcal{U}; \mathcal{P}, \mathcal{G}) := c^0(\mathcal{U}, \mathcal{P}) \times c^1(\mathcal{U}, \mathcal{G}).$$

b) Sei $(P,g) = (P_i, g_{ij}) \in c^1(\mathcal{U}; \mathcal{P}, \mathcal{G})$ und $S \subset B$ ein Unterkeim. Wir nennen (P,g) einen <u>Cozyklus über</u> S, wenn für alle $i,j,k \in I$ auf $U_i \cap U_j \cap U_k$ das Diagramm

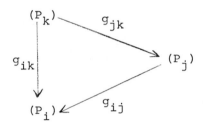

über S kommutiert. Insbesondere gilt dann

$$g_{ij} \circ g_{jk} \equiv g_{ik} \quad \mathrm{mod}(P_k) \text{ über S}.$$

c) Sei $(P,g) = (P_j, g_{ij}) \in c^1(\mathcal{U}; \mathcal{P}, \mathcal{G})$ ein Cozyklus über S. Wir sagen, (P,g) <u>zerfalle über</u> S in

$$(\Pi, h) = (\Pi, h_i) \in \Gamma(|\mathcal{U}|, \mathcal{P}) \times c^0(\mathcal{U}, \mathcal{G}),$$

wenn für alle $i,j \in I$ auf $U_i \cap U_j$ das Diagramm

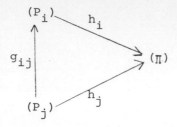

über S kommutiert.

<u>Bemerkung.</u> Sei $(P_i,g_{ij}) \in C^1(\mathcal{U};\mathcal{P},\mathcal{G})$ ein Cozyklus über S.
Es bezeichne $Y_i \subset U_i \times S$ die durch P_i definierte Deformation
von $X \cap U_i$ über S. Die Cozyklenbedingung besagt, daß die Abbildungen g_{ij} die Deformationen Y_i zu einer Deformation Y
von $X \cap |\mathcal{U}|$ verkleben. Man beachte, daß Y nicht in $|\mathcal{U}| \times S$
eingebettet ist.
Zerfällt jedoch der Cozyklus (P_i,g_{ij}) in (Π,h_i), so definiert
Π eine Deformation $\tilde{Y} \subset |\mathcal{U}| \times S$ von $X \cap |\mathcal{U}|$ und die Familie
der h_i liefert einen Isomorphismus von Y auf $\tilde{Y}$.
Sind alle U_i und $|\mathcal{U}|$ Steinsch, so zerfällt jeder Cozyklus
$(P_i,g_{ij}) \in C^1(\mathcal{U};\mathcal{P},\mathcal{G})$. Denn die (P_i,g_{ij}) zugeordnete ab-
strakte Deformation Y ist nach (3.2) isomorph zu einer einge-
betteten Deformation $\tilde{Y} \subset |\mathcal{U}| \times S$ von $X \cap |\mathcal{U}|$ und $\tilde{Y}$ kann durch
einen Komplex $\Pi \in \Gamma(|\mathcal{U}|,\mathcal{P})$ über S beschrieben werden. Der
Isomorphismus $Y \longrightarrow \tilde{Y}$ wird realisiert durch eine Familie
vertikaler Automorphismen $(h_i) \in C^0(\mathcal{U},\mathcal{G})$.

§ 5. Einspannung von Deformationen
==

Zur Konstruktion von Deformationen eines kompakten komplexen
Raumes müssen wir diesen lokal in Polyzylinder einbetten.
Diese Einbettungen müssen in besonderer Weise miteinander ver-
heftet werden. Wir gelangen so zum Begriff der Einspannung.
Dieser Begriff wurde in ähnlicher Form zuerst von Grauert
[14] unter dem Namen Aufbereitung eingeführt.

5.1. <u>Definition</u> (geometrische Einspannung).

Sei X ein kompakter komplexer Raum. Eine geometrische Einspannung

$$(X_i, \Phi_i, D_i, D_{ij}, u_{ij})_{i,j \in I}$$

von X besteht aus folgenden Daten:

i) Einer endlichen offenen Steinschen Überdeckung $(X_i)_{i \in I}$
von X,

ii) offenen Quadern $D_i \subset \mathbb{C}^N$, (dabei ist N unabhängig von
$i \in I$),

iii) abgeschlossenen Einbettungen $\Phi_i : X_i \longrightarrow D_i$,

iv) offenen Steinschen Teilmengen $D_{ij} \subset D_i$,

v) biholomorphen Abbildungen $u_{ij} : D_{ji} \longrightarrow D_{ij}$.

Diese Daten haben folgenden Bedingungen zu genügen:

a) $X_i \cap X_j = \Phi_i^{-1}(D_{ij})$ für alle $i, j \in I$.

b) Für alle $i, j \in I$ kommutiert das Diagramm

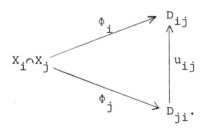

c) Für alle $i \in I$ gilt $D_{ii} = D_i$ und $u_{ii} = $ id.

d) Für alle $i,j \in I$ gilt $u_{ij} = u_{ij}^{-1}$.

5.2. <u>Bemerkungen.</u> a) Jeder kompakte komplexe Raum X besitzt eine geometrische Einspannung, wobei

$$N = \sup_{x \in X} \text{emdim}_x \, X$$

gewählt werden kann. Zur Konstruktion benutzt man das Lebesguesche Lemma und den folgenden Hilfssatz.

<u>Hilfssatz.</u> Seien X_1 und X_2 lokal-analytische Unterräume des $\mathbb{C}^N$ und $\phi: X_1 \longrightarrow X_2$ ein Isomorphismus. Dann gibt es zu jedem Punkt $a \in X_1$ offene Umgebungen U_1 von a bzw. U_2 von $\phi(a)$ in $\mathbb{C}^N$ und einen Isomorphismus $u: U_1 \longrightarrow U_2$, der $\phi: X_1 \cap U_1 \longrightarrow X_2 \cap U_2$ induziert.

b) Man beachte, daß für eine geometrische Einspannung nicht notwendig $u_{ij} \circ u_{jk} = u_{ik}$ auf dem gemeinsamen Definitionsbereich dieser Abbildungen gilt.

5.3. <u>Definition.</u> Sei X ein kompakter komplexer Raum mit einer geometrischen Einspannung $\mathfrak{X} = (X_i, \Phi_i, D_i, D_{ij}, u_{ij})$. Unter einer $\mathfrak{X}$ <u>adaptierten Überdeckung</u> von X verstehen wir eine Familie $\mathfrak{U} = (U_i, E_i)$ mit folgenden Eigenschaften:

a) (U_i) ist eine offene Steinsche Überdeckung von X

b) $E_i \subset\subset D_i$ ist ein offener Quader mit $U_i = \Phi_i^{-1} (E_i)$.

Sind $\mathfrak{U} = (U_i, E_i)$ und $\mathfrak{V} = (V_i, F_i)$ adaptierte Überdeckungen von X, so schreiben wir $\mathfrak{V} \ll \mathfrak{U}$, falls $F_i \subset\subset E_i$ für alle i.

<u>Bemerkung.</u> Sei $\mathfrak{U} = (U_i, E_i)$ eine $\mathfrak{X}$ adaptierte Überdeckung. Dann setzen wir

$$E_{ij} := u_{ij} (D_{ji} \cap E_j) \cap E_i.$$

Die Steinsche offene Menge E_{ij} wird durch u_{ji} biholomorph auf E_{ji} abgebildet und

$$(U_i, \Phi_i | U_i, E_i, E_{ij}, u_{ij} | E_{ij})$$

ist wieder eine geometrische Einspannung von X.

5.4. **Definition.** Sei X ein kompakter komplexer Raum. Unter einer <u>analytischen Einspannung</u> von X verstehen wir eine Familie

$$(X_i, \Phi_i, D_i, D_{ij}, u_{ij}, P_i^o, M_{ij}^o, C_{ijk}^o)_{i,j,k \in I}$$

mit folgenden Eigenschaften:

a) $(X_i, \Phi_i, D_i, D_{ij}, u_{ij})_{i,j \in I}$ ist eine geometrische Einspannung von X.

b) P_i^o ist eine exakte Sequenz

$$\mathcal{O}_{\mathbb{C}^N} \xleftarrow{P_{i,1}^o} \mathcal{O}_{\mathbb{C}^N}^{\ell_1} \xleftarrow{P_{i,2}^o} \cdots \xleftarrow{P_{i,N}^o} \mathcal{O}_{\mathbb{C}^N}^{\ell_N} \xleftarrow{\quad\quad} 0$$

über dem Quader $D_i \subset \mathbb{C}^N$ mit

$$\Phi_{i*} \mathcal{O}_X = \mathcal{O}_{\mathbb{C}^N}/\operatorname{Im} P_{i,1}^o.$$

Dabei ist $(\ell_1, \ldots, \ell_N)$ unabhängig von $i \in I$.

c) M_{ij}^o ist auf $D_{ij} \subset D_i$ ein Komplexisomorphismus

$$
\begin{array}{ccccccccc}
\mathcal{O}_{\mathbb{C}^N} & \xleftarrow{P_{j,1}^o(u_{ji})} & \mathcal{O}_{\mathbb{C}^N}^{\ell_1} & \xleftarrow{P_{j,2}^o(u_{ji})} & \cdots & \xleftarrow{P_{j,N}^o(u_{ji})} & \mathcal{O}_{\mathbb{C}^N}^{\ell_N} & \xleftarrow{\quad} & 0 \\
\downarrow{\scriptstyle 1} & & \downarrow{\scriptstyle M_{ij,1}^o} & & & & \downarrow{\scriptstyle M_{ij,N}^o} & & \\
\mathcal{O}_{\mathbb{C}^N} & \xleftarrow{P_{i,1}^o} & \mathcal{O}_{\mathbb{C}^N}^{\ell_1} & \xleftarrow{P_{i,2}^o} & \cdots & \xleftarrow{P_{i,N}^o} & \mathcal{O}_{\mathbb{C}^N}^{\ell_N} & \xleftarrow{\quad} & 0
\end{array}
$$

und es gilt $M_{ii}^o = 1$.

d) C^o_{ijk} ist eine $\ell_1 \times N$-Matrix mit Koeffizienten aus $\Gamma(D_{ijk}, \mathcal{O}_{\mathbb{C}^N})$, so daß

$$u_{kj} \circ u_{ji} - u_{ki} = P^o_{i,1} C^o_{ijk}.$$

Dabei ist $D_{ijk} := D_{ik} \cap u_{ij}(D_{ji} \cap D_{jk}) \subset D_i$ der gemeinsame Definitionsbereich der Abbildungen u_{ki} und $u_{kj} \circ u_{ji}$.

5.5. Satz. Jeder kompakte komplexe Raum X besitzt eine analytische Einspannung.

Beweis. Wir wählen zunächst eine geometrische Einspannung $(X_i, \Phi_i, D_i, D_{ij}, u_{ij})$ von X. Nach einer evtl. Schrumpfung können wir annehmen, daß es über D_i exakte Sequenzen

$$\mathcal{O}_{\mathbb{C}^N} \xleftarrow{P^*_{i,1}} \mathcal{O}_{\mathbb{C}^N}^{\ell_{i,1}} \xleftarrow{P^*_{i,2}} \cdots \xleftarrow{P^*_{i,N}} \mathcal{O}_{\mathbb{C}^N}^{\ell_{i,N}} \longleftarrow 0$$

mit

$$\Phi_{i*} \mathcal{O}_X = \mathcal{O}_{\mathbb{C}^N} / \text{Im} P^*_{i,1}$$

gibt. Da P^*_i und $P^*_j(u_{ji})$ auf D_{ij} beides Auflösungen derselben Garbe $\Phi_{i*} \mathcal{O}_X$ sind, gibt es einen Komplexmorphismus

$$M^*_{ij} = (1, M^*_{ij,1}, \ldots, M^*_{ij,N}) : P^*_j(u_{ji}) \longrightarrow P^*_i.$$

Durch wiederholte Anwendung des anschließend formulierten Kunstgriffs von Cartan [2] , des Hilbertschen Syzygiensatzes sowie der Tatsache, daß jeder lokalfreie $\mathcal{O}_{\mathbb{C}^N}$-Modul über einem Quader frei ist, können nun die Bedingungen (b) und (c) erfüllt werden. Da $u_{ki} \circ \Phi_i$ und $u_{kj} \circ u_{ji} \circ \Phi_i$ auf $X_i \cap X_j \cap X_k$ übereinstimmen, gibt es eine Matrix C^o_{ijk}, die (d) erfüllt.

Hilfssatz (Cartan). Gegeben seien Moduln E_i, $i \in I$, und F sowie Morphismen

$$\psi_i : E_i \longrightarrow F \text{ und } \mu_{ij} : E_j \longrightarrow E_i$$

mit $\phi_i \mu_{ij} = \phi_j$ für alle $i \neq j$.

Sei $E := \prod E_i$. Wir definieren Morphismen

$$\Psi_i : E \longrightarrow F \text{ und } M_{ij} : E \longrightarrow E$$

durch

$$\Psi_i(x) = \psi_i(x_i) \text{ für } x = (x_i)_{i \in I}$$

und

$$M_{ij}(x) = (x_k')_{k \in I}$$

wobei

$$x_k' = x_k \quad \text{für } k \neq i, j,$$
$$x_i' = x_i - \mu_{ij} \, \mu_{ji}(x_i) + \mu_{ij}(x_j),$$
$$x_j' = x_j - \mu_{ji}(x_i).$$

Dann sind die M_{ij} Isomorphismen und es gilt $\Psi_i M_{ij} = \Psi_j$ für alle $i \neq j$.

5.6. Von nun an sei ein kompakter komplexer Raum X mit einer analytischen Einspannung

$$\mathcal{X} = (X_i, \Phi_i, D_i, D_{ij}, u_{ij}, P_i^o, M_{ij}^o, C_{ijk}^o)_{i,j,k \in I}$$

zugrunde gelegt. Ist $\mathcal{U} = (U_i, E_i)$ eine adaptierte Überdeckung, so sei stets

$$E_{ij} := u_{ij}(D_{ji} \cap E_j) \cap E_i,$$

$$E_{ijk} := E_{ik} \cap u_{ij}(E_{ji} \cap E_{jk}).$$

Weiter führen wir folgende Bezeichnungen ein:

a) Für jedes $i \in I$ sei $\mathcal{P}_i$ die wie in (4.2) definierte Garbe
bzgl. der exakten Sequenz P_i^0 auf dem Quader $D_i \subset \mathbb{C}^N$.

b) Für eine adaptierte Überdeckung $\mathcal{U} = (U_i, E_i)$ setzen wir

$$c^0(\mathcal{U}, \mathcal{P}) := \prod_i \Gamma(E_i, \mathcal{P}_i),$$

$$c^0(\mathcal{U}, \mathcal{G}) := \prod_i \Gamma(E_i, \mathcal{G}),$$

$$c^1(\mathcal{U}, \mathcal{G}) := \prod_{i,j} \Gamma(E_{ij}, \mathcal{G}),$$

$$c^1(\mathcal{U}; \mathcal{P}, \mathcal{G}) := c^0(\mathcal{U}, \mathcal{P}) \times c^1(\mathcal{U}, \mathcal{G}).$$

5.7. Definition. Sei $(P_i, g_{ij}) \in c^1(\mathcal{U}; \mathcal{P}, \mathcal{G})$ und $S \subset B$ ein
Unterkeim. (P_i, g_{ij}) heißt <u>Cozyklus über</u> S, falls gilt:

i) Für alle $i,j \in I$ gilt auf E_{ij}

$$g_{ji} u_{ji}: (P_i) \longrightarrow (P_j) \text{ über } S,$$

d.h. jedes P_i ist auf E_i ein Komplex über S und es gilt auf
E_{ij}

$$\text{Im} P_{i,1} = \text{Im} P_{j,1}(g_{ji} u_{ji}) \text{ über } S.$$

ii) Für alle $i,j,k \in I$ gilt auf E_{ijk}

$$(g_{kj}u_{kj})(g_{ji}u_{ji}) \equiv g_{ki}u_{ki} \bmod (P_i) \text{ über } S.$$

5.8. Geometrische Interpretation eines Cozyklus (P_i, g_{ij})
über S. Jedes P_i definiert eine Deformation $Y_i \subset E_i \times S$
von U_i über S.

$$Y_{ij} := Y_i \cap (E_{ij} \times S)$$

ist dann eine Deformation von $U_i \cap U_j$; dasselbe gilt für
Y_{ji}. Die Bedingung (i) bedeutet, daß $g_{ji}u_{ji}$ einen Isomorphismus

$$Y_i \supset Y_{ij} \xrightarrow[\sim]{\quad g_{ji}u_{ji} \quad} Y_{ji} \subset Y_j$$

induziert. Wegen (ii) erfüllen diese Isomorphismen über den
dreifachen Durchschnitten die Verklebebedingung, die Y_i lassen
sich also zu einer Deformation Y von X über S verkleben.

Bemerkung. Umgekehrt gibt es zu jeder Deformation Y von X
über einen Unterkeim $S \subset B$ einen Cozyklus $(P_i, g_{ij}) \in C^1(\mathcal{U}; \mathcal{P}, \mathcal{G})$,
der im obigen Sinn Y repräsentiert. Die P_i erhält man aus
(3.3), die Existenz der g_{ij} ergibt sich aus Theorem B.

5.9. Definition. Seien (P_i, g_{ij}), $(\Pi_i, C_{ij}) \in C^1(\mathcal{U}; \mathcal{P}, \mathcal{G})$
Cozyklen über dem Unterkeim $S \subset B$ und $(h_i) \in C^0(\mathcal{U}; \mathcal{G})$. Dann
heißt (P_i, g_{ij}) über S cohomolog zu (Π_i, G_{ij}) vermöge (h_i), in
Zeichen

$$(h_i): (P_i, g_{ij}) \longrightarrow (\Pi_i, G_{ij}) \text{ über } S,$$

falls gilt:

i) Für alle $i \in I$ gilt auf E_i

$$h_i: (P_i) \longrightarrow (\Pi_i) \text{ über } S.$$

ii) Für alle $i,j \in I$ ist auf E_{ij} das Diagramm

über S kommutativ, d.h.

$$G_{ji}u_{ji}h_i \equiv h_j g_{ji}u_{ji} \quad \text{mod } (P_i) \text{ über S.}$$

5.10. <u>Geometrische Interpretation</u> der Cohomologie. Seien
Y und Y' die den Cozyklen (P_i, g_{ij}) bzw. (Π_i, G_{ij}) gemäß
(5.8) zugeordneten Deformationen von X über S. Dann bedeutet

$$(h_i): (P_i, g_{ij}) \longrightarrow (\Pi_i, G_{ij}) \text{ über S,}$$

daß die Familie (h_i) einen Isomorphismus $h: Y \longrightarrow Y'$ über
S induziert.

<u>Bemerkung.</u> Umgekehrt gilt: Definieren zwei Cozyklen (P,g),
(Π,G) isomorphe Deformationen, so sind sie cohomolog.

§ 6. Der Extensionskomplex

In diesem Paragraphen entwickeln wir mit Hilfe der in (5.4) definierten analytischen Einspannung des kompakten komplexen Raumes X eine Cohomologietheorie für die infinitesimalen Deformationen von X.

6.1. Definition. a) Das <u>Cotangentialsystem</u> von X bzgl. der analytischen Einspannung (5.4) besteht aus folgenden Daten:

1) Auf D_i definierten $\mathscr{O}_X$-Modulkomplexen

$$\mathscr{O}_X^N \xleftarrow{\frac{\partial P_{i,1}^O}{\partial z}} \mathscr{O}_X^{\ell_1} \xleftarrow{P_{i,2}^O} \mathscr{O}_X^{\ell_2} \xleftarrow{\quad} \ldots \xleftarrow{P_{i,N}^O} \mathscr{O}_X^{\ell_N} \longleftarrow 0.$$

Dabei haben wir $\mathscr{O}_X$ mit $\Phi_{i*}\mathscr{O}_X$ identifiziert.

2) Auf D_{ji} definierten Komplexmorphismen

$$
\begin{array}{ccccccccc}
\mathscr{O}_X^N & \xleftarrow{\frac{\partial P_{i,1}^O}{\partial z}(u_{ij})} & \mathscr{O}_X^{\ell_1} & \xleftarrow{P_{i,2}^O(u_{ij})} & \mathscr{O}_X^{\ell_2} & \xleftarrow{\quad} \ldots & \xleftarrow{P_{i,N}(u_{ij})} & \mathscr{O}_X^{\ell_N} & \longleftarrow 0 \\[2mm]
\Big\downarrow{\scriptstyle\frac{\partial u_{ij}}{\partial z}} & & \Big\downarrow{\scriptstyle M_{ji,1}^O} & & \Big\downarrow{\scriptstyle M_{ji,2}^O} & & & \Big\downarrow{\scriptstyle M_{ji,N}^O} & \\[2mm]
\mathscr{O}_X^N & \xleftarrow{\frac{\partial P_{j,1}^O}{\partial z}} & \mathscr{O}_X^{\ell_1} & \xleftarrow{P_{j,2}^O} & \mathscr{O}_X^{\ell_2} & \xleftarrow{\quad} \ldots & \xleftarrow{P_{j,N}^O} & \mathscr{O}_X^{\ell_N} & \longleftarrow 0
\end{array}
$$

b) Das <u>Tangentialsystem</u> von X entsteht aus dem Cotangential-system durch Anwenden des Funktors $\mathrm{Hom}_{\mathscr{O}_X}(-,\mathscr{O}_X)$ auf die in

(a) genannten $\mathscr{O}_X$-Modulkomplexe und Morphismen.

6.2. Bezeichnungen. Im Cotangentialsystem fassen wir die Schnitte der Garben $\mathcal{O}_X^{\ell}$ als Spaltenvektoren und im Tangential-system die Schnitte der Garben

$$\check{\mathcal{O}}_X^{\ell} := \mathrm{Hom}_{\mathcal{O}_X}(\mathcal{O}_X^{\ell}, \mathcal{O}_X) \cong \mathcal{O}_X^{\ell}$$

als Zeilenvektoren auf. Bei dieser Auffassung werden die Komplexe des Tangentialsystems

$$\check{\mathcal{O}}_X^N \xrightarrow{\frac{\partial P_{i,1}^{\mathrm{o}}}{\partial z}} \check{\mathcal{O}}_X^{\ell_1} \xrightarrow{P_{i,2}^{\mathrm{o}}} \check{\mathcal{O}}_X^{\ell_2} \xrightarrow{} \ldots \xrightarrow{P_{i,N}^{\mathrm{o}}} \check{\mathcal{O}}_X^{\ell_N} \longrightarrow 0,$$

die wir auch kurz mit

$$\mathcal{O}_X^N \xrightarrow{\partial} \mathcal{O}_X^{\ell_1} \xrightarrow{\partial} \mathcal{O}_X^{\ell_2} \xrightarrow{} \ldots \xrightarrow{\partial} \mathcal{O}_X^{\ell_N} \longrightarrow 0$$

bezeichnen, durch dieselben Matrizen wie im Cotangentialsystem gegeben; nur werden jetzt Zeilenvektoren von rechts mit den Matrizen multipliziert.

6.3. Transformationsformeln im Tangentialsystem.

Seien $i,j \in I$ und

$$G_i \subset D_{ij} \subset D_i \ , \ G_j \subset D_{ji} \subset D_j$$

offene Teilmengen mit $u_{ji}(G_i) = G_j$. Dann definieren wir Karten-transformationen

$$\beta_j^i : \Gamma(G_i, \mathcal{O}_X^N) \xrightarrow{} \Gamma(G_j, \mathcal{O}_X^N)$$

bzw.

$$\beta_j^i : \Gamma(G_i, \mathcal{O}_X^{\ell^n}) \longrightarrow \Gamma(G_j, \mathcal{O}_X^{\ell^n}) \ , \ 1 \leq n \leq N,$$

auf folgende Weise: Für $\xi_i \in \Gamma(G_i, \mathcal{O}_X^N)$ bzw.
$\zeta_i \in \Gamma(G_i, \mathcal{O}_X^{\ell^n})$ setzen wir

$$\beta_j^i \xi_i := \xi_i(u_{ij}) \ \frac{\partial u_{ji}}{\partial z}(u_{ij}),$$

$$\beta_j^i \zeta_i := \zeta_i(u_{ij}) \ M_{ij,n}^o(u_{ij}).$$

Die Abbildungen β_j^i kommutieren mit den Ableitungen ∂ aus (6.2).

6.4. Die Garbe $\mathcal{E}x_X^o$. Die kohärenten Garben

$$\mathcal{E}x_{X_i}^o := \mathrm{Ker}(\mathcal{O}_X^N \xrightarrow{\ \frac{\partial P_{i,1}^o}{\partial z}\ } \mathcal{O}_X^{\ell^1})$$

über X_i verkleben sich mittels der Kartentransformationen β_j^i zu einer globalen $\mathcal{O}_X$-Modulgarbe $\mathcal{E}x_X^o$. Diese Garbe ist in kanonischer Weise zur Garbe θ_X der holomorphen Vektorfelder isomorph.

6.5. Satz (die Garbe $\mathcal{E}x_X^1$). Definiert man über X_i

$$\mathcal{E}x_{X_i}^1 := (\mathrm{Ker}(\mathcal{O}_X^{\ell^1} \xrightarrow{\ \partial\ } \mathcal{O}_X^{\ell^2})/\mathrm{Im}(\mathcal{O}_X^N \xrightarrow{\ \partial\ } \mathcal{O}_X^{\ell^1}) \ ,$$

so induzieren die Kartentransformationen β_j^i über $X_i \cap X_j$ Iso-morphismen $\mathcal{E}x_{X_i}^1 \longrightarrow \mathcal{E}x_{X_j}^1$, welche diese Garben zu einer globalen kohärenten $\mathcal{O}_X$-Modulgarbe $\mathcal{E}x_X^1$ verheften.

Bemerkung. $\mathcal{E}x_X^1$ ist nichts anderes als die Garbe der infinitesimalen Deformationen von X.

Beweis. Sei $p_1 = (0, \mathbb{C}[\varepsilon])$ der Doppelpunkt, U eine Steinsche
offene Menge in X_i und G eine Steinsche offene Teilmenge von
D_i mit $\Phi_i^{-1}(G) = U$. Wir konstruieren eine natürliche Abbildung

$$\alpha_i : \mathcal{E}x_{X_i}^1 (U) \longrightarrow \mathrm{Def}(U, p_1)$$

wie folgt: Das Element $\xi \in \mathcal{E}x_{X_i}^1 (U)$ werde repräsentiert durch
$\pi \in \Gamma(G, \mathcal{O}_{\mathbb{C}^N}^{\ell 1})$ mit

$$\pi P_{i,2}^o \equiv 0 \mod(P_{i,1}^o).$$

Es gibt deshalb ein $\kappa \in \Gamma(G, \mathcal{O}_{\mathbb{C}^N}^{\ell 2})$ mit $\pi P_{i,2}^o = - P_{i,1}^o \kappa$. Die
durch $P_{i,1} := P_{i,1}^o + \varepsilon\pi$ erzeugte Idealgarbe definiert einen
Unterraum $Y \subset G \times p_1$. Mit $P_{i,2} := P_{i,2}^o + \varepsilon\kappa$ gilt

$$P_{i,1} P_{i,2} = P_{i,1}^o P_{i,2}^o + \varepsilon (\pi P_{i,2}^o + P_{i,1}^o \kappa) = 0.$$

Wegen (3.3) folgt, daß Y platt über p_1 liegt, also eine Deformation von U über p_1 darstellt. Ihre Isomorphieklasse ist
definitionsgemäß $\alpha_i(\xi)$. Man rechnet jetzt nach, daß α_i bijektiv
ist. Falls $U \subset X_i \cap X_j$, ist das Diagramm

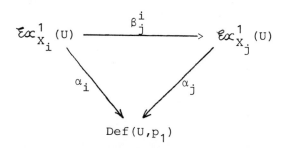

kommutativ. Daraus folgt die Behauptung.

Bemerkung. Für n ≥ 2 setzen sich die Garben

$$\mathcal{E}\!x_{X_i}^n := \mathrm{Ker}\big(\, \mathcal{O}_X^{\ell_n} \xrightarrow{\;\partial\;} \mathcal{O}_X^{\ell_{n+1}}\big)/\mathrm{Im}\big(\mathcal{O}_X^{\ell_{n-1}} \xrightarrow{\;\partial\;} \mathcal{O}_X^{\ell_n}\big)$$

vermöge der β_j^i im allgemeinen nicht zu einer globalen Garbe zusammen.

Nach Lichtenbaum-Schlessinger [22] kann man in invarianter Weise
eine globale Garbe $\mathcal{T}_X^2$ auf X konstruieren. $\mathcal{T}_X^2|X_i$ läßt sich in
natürlicher Weise als Untergarbe von $\mathcal{E}\!x_{X_i}^2$ auffassen. Die später
von uns konstruierten Hinderniselemente in $\mathcal{E}\!x^2$ liegen tatsächlich
bereits in $\mathcal{T}_X^2$. Für die Garben $\mathcal{T}_X^0$ und $\mathcal{T}_X^1$ von Lichtenbaum-
Schlessinger gilt $\mathcal{T}_X^0 = \Theta_X = \mathcal{E}\!x_X^0$ und $\mathcal{T}_X^1 = \mathcal{E}\!x_X^1$.

6.6. Die Čechableitung im Tangentialsystem.

Sei $\mathcal{U}$ eine adaptierte Überdeckung und ℓ eine der Zahlen
$N, \ell_1, \ldots, \ell_N$. Wir definieren Abbildungen

$$\delta : C^q(\mathcal{U}, \mathcal{O}_X^\ell) \longrightarrow C^{q+1}(\mathcal{U}, \mathcal{O}_X^\ell) \quad , \quad q \in \mathbb{N},$$

wie folgt: Für $\zeta = (\zeta_{i_o \ldots i_q}) \in C^q(\mathcal{U}, \mathcal{O}_X^\ell)$ sei

$$(\delta\zeta)_{i_o \ldots i_{q+1}} := \beta_{i_o}^{i_1}\zeta_{i_1 \ldots i_{q+1}} + \sum_{\kappa=1}^{q+1} (-1)^\kappa \zeta_{i_o \ldots \hat{i}_\kappa \ldots i_{q+1}} ;$$

dabei ist $\beta_{i_o}^{i_1}$ die in (6.3) definierte Kartentransformation.

Vorsicht! Im allgemeinen gilt nicht $\delta\delta = 0$.

6.7. Hilfssatz. Sei $\mathcal{U} = (U_i, E_i)_{i \in I}$ eine adaptierte Überdeckung
von X. Seien $i,j,k \in I$ und $\xi_k \in \Gamma(U_k, \mathcal{O}_X^N)$. Dann gilt über
$X_i \cap X_j \cap U_k$ die Gleichung

$$(\beta_i^j\beta_j^k - \beta_i^k)\xi_k = \xi_k(u_{ki})\,\frac{\partial P_{k,1}^0}{\partial z}(u_{ki})\,C_{kji}^0(u_{ki}).$$

Beweis. Nach Definition ist

$$(\beta_i^j\beta_j^k - \beta_i^k)\xi_k = \xi_k(u_{kj}u_{ji})\,\frac{\partial u_{jk}}{\partial z}\,(u_{kj}u_{ji})\,\frac{\partial u_{ij}}{\partial z}\,(u_{ji})$$

$$- \xi_k(u_{ki})\,\frac{\partial u_{ik}}{\partial z}\,(u_{ki}) = \xi_k(u_{ki})\left(\frac{\partial u_{jk}}{\partial z}\,\frac{\partial u_{ij}}{\partial z}\,(u_{jk}) - \frac{\partial u_{ik}}{\partial z}\right)(u_{ki}).$$

Wegen $u_{ij}u_{jk} = u_{ik} + P_k^o c_{kji}^o$ gilt

$$\frac{\partial u_{jk}}{\partial z}\,\frac{\partial u_{ij}}{\partial z}\,(u_{jk}) - \frac{\partial u_{ik}}{\partial z} = \frac{\partial P_{k,1}^o}{\partial z}\,c_{kji}^o \bmod(P_{k,1}^o).$$

Daraus folgt die Behauptung.

6.8. Definition. Sei $\mathcal{U}$ eine adaptierte Überdeckung von X. Wir definieren Homotopieoperatoren

$$h^{o1}: C^o(\mathcal{U}, \mathcal{O}_X^{\ell}1) \longrightarrow C^2(\mathcal{U}, \mathcal{O}_X^N),$$
$$h^{11}: C^1(\mathcal{U}, \mathcal{O}_X^{\ell}1) \longrightarrow C^3(\mathcal{U}, \mathcal{O}_X^N)$$

wie folgt:

a) Für $\eta = (\eta_k) \in C^o(\mathcal{U}, \mathcal{O}_X^{\ell}1)$ sei

$$(h^{o1}\eta)_{ijk} := \eta_k(u_{ki})\,c_{kji}^o(u_{ki}).$$

b) Für $\eta = (\eta_{k\ell}) \in C^1(\mathcal{U}, \mathcal{O}_X^{\ell}1)$ sei

$$(h^{11}\eta)_{ijk\ell} := \eta_{k\ell}(u_{ki})\,c_{kji}^o(u_{ki}).$$

6.9. Satz. Für die Homotopieoperatoren h^{o1} und h^{11} gelten die folgenden Formeln:

a) $\delta\delta\gamma = h^{01}\partial\gamma$ für alle $\gamma \in C^0(\mathcal{U}, \mathcal{O}_X^N)$,

b) $\delta\delta\gamma = h^{11}\partial\gamma$ für alle $\gamma \in C^1(\mathcal{U}, \mathcal{O}_X^N)$,

c) $\delta\delta\pi = \partial h^{01}\pi$ und $\delta h^{01}\pi = h^{11}\delta\pi$

für alle $\pi \in C^0(\mathcal{U}, \mathcal{O}_X^{\ell,1})$ mit $\partial\pi = 0$.

__Beweis.__ a) Sei $\gamma = (\gamma_i) \in C^0(\mathcal{U}, \mathcal{O}_X^N)$. Dann gilt

$$(\delta\delta\gamma)_{ijk} = \beta_i^j(\delta\gamma)_{jk} - (\delta\gamma)_{ik} + (\delta\gamma)_{ij}$$

$$= \beta_i^j(\beta_j^k\gamma_k - \gamma_j) - \beta_i^k\gamma_k + \gamma_i + \beta_i^j\gamma_j - \gamma_i$$

$$= (\beta_i^j\beta_j^k - \beta_i^k)\gamma_k.$$

Mit Hilfssatz (6.8) folgt nun

$$(\delta\delta\gamma)_{ijk} = (h^{01}\partial\gamma)_{ijk}.$$

b) wird genauso bewiesen, wie a).

c) Aus der Definition der Einspannungsdaten (5.4) folgt über D_{ijk} die Gleichung

$$(1) \quad P_{k,1}^0(u_{ki} + P_{i,1}^0 C_{ijk}^0) = P_{k,1}^0(u_{kj}u_{ji}) = P_{j,1}^0(u_{ji})M_{jk,1}^0(u_{ji})$$

$$= P_{i,1}^0 M_{ij,1}^0 M_{jk,1}^0(u_{ji}).$$

Taylorentwicklung liefert

$$(2) \quad P_{k,1}^0(u_{ki} + P_{i,1}^0 C_{ijk}^0) = P_{k,1}^0(u_{ki}) + P_{i,1}^0 C_{ijk}^0 \frac{\partial P_{k,1}^0}{\partial z}(u_{ki}) + P_{i,1}^0 R_{ijk},$$

wobei

$$R_{ijk} \equiv 0 \mod(P_{i,1}^0).$$

Wir definieren

$$Z_{ijk} := M_{ij,1}^0 M_{jk,1}^0(u_{ji}) - M_{ik,1}^0 - C_{ijk}^0 \frac{\partial P_{k,1}^0}{\partial z}(u_{ki}).$$

Aus (1) und (2) folgt zusammen mit $P^o_{k,1}(u_{ki}) = P^o_{i,1}M^o_{ik,1}$, daß

$$P^o_{i,1}(Z_{ijk}-R_{ijk}) = 0 \quad \text{auf } D_{ijk}.$$

Da $(P^o_{i,1}, P^o_{i,2})$ exakt ist, gibt es eine $\ell_2 \times \ell_1$-Matrix B_{ijk}, so daß

(3) $\quad Z_{ijk} \equiv P^o_{i,2}B_{ijk} \quad \text{mod}(P^o_{i,1}).$

Sei nun $\pi = (\pi_i) \in C^o(\mathcal{U}, \mathcal{O}^{\ell_1}_X)$ mit $\partial\pi = 0$. Eine einfache Rechnung zeigt:

$$(\delta\delta\pi)_{ijk} = \pi_k(u_{ki})(M^o_{kj,1}M^o_{ji,1}(u_{jk}) - M^o_{ki,1})(u_{ki}),$$

$$(\partial h^{o1}\pi)_{ijk} = \pi_k(u_{ki})C^o_{kji}(u_{ki})\frac{\partial P^o_{i,1}}{\partial z},$$

also

$$(\delta\delta\pi - \partial h^{o1}\pi)_{ijk} \equiv \pi_k(u_{ki})Z_{kji}(u_{ki})$$

$$\equiv \pi_k(u_{ki})P^o_{k,2}(u_{ki})B_{kji}(u_{ki}) \equiv 0,$$

da $\pi_k P^o_{k,2} \equiv 0 \mod(P^o_{k,1})$ ist.

Zum Beweis der zweiten Gleichung $\delta h^{o1}\pi = h^{11}\delta\pi$ zeigt man zunächst, daß es auf

$$D_{ijk\ell} := u_{ij}(D_{ji} \cap u_{jk}(D_{kj} \cap D_{k\ell}))$$

eine $\ell_2 \times N$-Matrix $A_{ijk\ell}$ mit Werten in $\mathcal{O}_{\mathbb{C}^N}$ gibt, so daß folgende Gleichung gilt:

$$C^o_{ik\ell} + C^o_{ijk}\frac{\partial u_{\ell k}}{\partial z}(u_{ki}) - C^o_{ij\ell} - M^o_{ij,1}C^o_{jk\ell}(u_{ji})$$

$$\equiv P^o_{i,2}A_{ijk\ell} \quad \text{mod}(P^o_{i,1}).$$

Nun ist

$$(\delta h^{o1}\pi - h^{11}\delta\pi)_{ijk\ell}$$

$$= \pi_\ell(u_{\ell i})\left(C^o_{\ell ji} + C^o_{\ell kj}\ \frac{\partial u_{ij}}{\partial z}(u_{j\ell}) - C^o_{\ell ki} - M^o_{\ell k,1}C^o_{kji}(u_{k\ell})\right)(u_{\ell i}).$$

Wie oben folgt daraus die Behauptung.

6.10. Der Extensionskomplex. Sei $\mathcal{U} = (U_i, E_i)$ eine adaptierte
Überdeckung von X. Wir betrachten das folgende Diagramm:

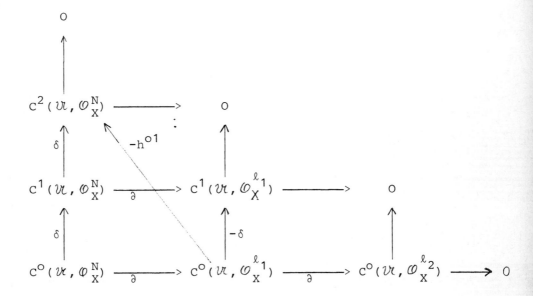

Aus diesem Diagramm gewinnen wir den Extensionskomplex

$$E^{\bullet}: 0 \longrightarrow E^o(\mathcal{U}) \xrightarrow{\ d^o\ } E^1(\mathcal{U}) \xrightarrow{\ d^1\ } E^2(\mathcal{U}) \longrightarrow 0$$

durch folgende Definitionen

$$E^o(\mathcal{U}) := C^o(\mathcal{U}, \mathcal{O}^N_X),$$

$$E^1(\mathcal{U}) := C^o(\mathcal{U}, \mathcal{O}^{\ell 1}_X) \oplus C^1(\mathcal{U}, \mathcal{O}^N_X),$$

$$E^2(\mathcal{U}) := C^0(\mathcal{U}, \mathcal{O}_X^{\ell_2}) \oplus C^1(\mathcal{U}, \mathcal{O}_X^{\ell_1}) \oplus C^2(\mathcal{U}, \mathcal{O}_X^N),$$

$$d^0\gamma := (\partial\gamma, \delta\gamma),$$

$$d^1(\pi, \gamma) := (\partial\pi, \partial\pi - \delta\pi, \delta\gamma - h^{01}\pi).$$

Aufgrund von Satz (6.9) gilt $d^1 d^0 = 0$.

6.11. Filtration des Extensionskomplexes. Mit den Bezeichnungen

von (6.10) setzen wir zur Abkürzung

$$C^{pq} := C^p(\mathcal{U}, \mathcal{O}_X^{\ell_q}) \text{ für } p + q \le 2, \ (\ell_0 = N),$$

$$C^{pq} := 0 \text{ für } p + q > 2.$$

Damit ist $E^i(\mathcal{U}) = \displaystyle\sum_{p+q=i} C^{pq}$. Diesen Komplex filtrieren wir wie folgt

$$F^n E^\cdot(\mathcal{U}) := \sum_{p \ge n} C^{pq}.$$

Aus dem so filtrierten Komplex entspringt eine Spektralsequenz, deren E_2-Terme wir im folgenden näher betrachten werden. Nach [11], p.77/78, gelten die Formeln

$$Z_r^p = \{x \in F^p : dx \in F^{p+r}\}, \quad Z_r^{pq} = Z_r^p \cap E^{p+q},$$

$$B_r^p = F^p \cap dF^{p-r}, \quad B_r^{pq} = B_r^p \cap E^{p+q},$$

$$E_r^{pq} = Z_r^{pq}/(B_{r-1}^{pq} + Z_{r-1}^{p+1,q-1}).$$

6.12. Satz. Für die oben definierte Spektralsequenz gelten die

Beziehungen

a) $\quad E_2^{00} = H^0(E^\cdot) = H^0(X, \Theta_X),$

b) $\quad E_2^{10} = H^1(X, \Theta_X),$

c) $\quad E_2^{01} = H^0(X, \mathcal{E}xt_X^1).$

Weiter gibt es eine natürliche Inklusion

d) $\quad H^2(X,\Theta_X) \hookrightarrow E_2^{20}.$

<u>Beweis.</u> a) Es gilt

$$E_2^{00} = Z_2^{00} = Z_2^0 \cap E^0 = \{\gamma \in C^{00}: d^0\gamma \in F^2\}$$

$$= \{\gamma \in C^{00}: d^0\gamma = 0\} = \{\gamma \in C^{00}: \partial\gamma = 0 \text{ und } \delta\gamma = 0\}$$

$$= Z^0(\mathcal{U},\Theta_X) = H^0(X,\Theta_X).$$

b) Es ist $E_2^{10} = Z_2^{10}/B_1^{10}$ und

$$Z_2^{10} = Z_2^1 \cap E^1 = \{\gamma \in C^{10}: d^1\gamma \in F^3\} = \{\gamma \in C^{10}: d^1\gamma = 0\}$$

$$= \{\gamma \in C^{10}: \partial\gamma = 0 \text{ und } \delta\gamma = 0\} = Z^1(\mathcal{U},\Theta_X),$$

sowie

$$B_1^{10} = F^1 \cap E^1 \cap dF^0 = \{\gamma \in C^{10}: \exists \eta \in C^{00} \text{ mit } d^0\eta = (0,\gamma)\}$$

$$= \{\gamma \in C^{10}: \exists \eta \in C^0(\mathcal{U},\Theta_X) \text{ mit } \delta\eta = \gamma\} = B^1(\mathcal{U},\Theta_X).$$

c) Es gilt $E_2^{01} = Z_2^{01}/(B_1^{01}+Z_1^{10})$. Nun ist

$$Z_2^{01} = Z_2^0 \cap E^1 = \{(\pi,\gamma) \in E^1: d^1(\pi,\gamma) \in F^2\}$$

$$= \{(\pi,\gamma) \in E^1: \partial\pi = 0 \text{ und } \partial\gamma = \delta\pi\},$$

$$Z_1^{10} = Z_1^1 \cap E^1 = \{(0,\gamma) \in E^1: d^1\gamma \in F^2\}$$

$$= \{\gamma \in C^{10}: \partial\gamma = 0\},$$

$$B_1^{01} = E^1 \cap dF^{-1} = \{(\pi,\gamma) \in E^1: \exists \eta \in C^{00} \text{ mit } d^0\eta = (\pi,\gamma)\}$$

$$= \{(\partial\eta,\delta\eta) \in E^1: \eta \in C^{00}\}.$$

Setzt man andererseits

$$\tilde{Z} := \{\pi \in C^{01}: \partial\pi = 0 \text{ und } \exists\gamma \in C^{10} \text{ mit } \delta\pi = \partial\gamma\},$$

$$\tilde{B} := \{\pi \in C^{01}: \exists\eta \in C^{00} \text{ mit } \partial\eta = \pi\},$$

so gilt $H^0(X, \mathcal{E}xc_X^1) = \tilde{Z}/\tilde{B}$. Die Abbildung

$$p: Z_2^{01} \longrightarrow \tilde{Z}, \quad (\pi,\gamma) \longmapsto \pi$$

ist surjektiv und es gilt

$$p^{-1}(\tilde{B}) = B_1^{01} + Z_1^{10}.$$

Also folgt $E_2^{01} = H^0(X, \mathcal{E}xc_X^1)$.

d) Es ist $E_2^{20} = Z_2^{20}/B_1^{20}$ und

$$Z_2^{20} = Z_2^2 \cap E^2 = \{\gamma \in C^{20}: d\gamma \in F^4\} = C^{20},$$

$$B_1^{20} = F^2 \cap E^2 \cap dF^1$$

$$= \{\gamma \in C^{20}: \exists\sigma \in C^{10} \text{ mit } d^1(0,\sigma) = (0,0,\gamma)\}$$

$$= \{\gamma \in C^{20}: \exists\sigma \in C^{10} \text{ mit } \partial\sigma = 0 \text{ und } \delta\sigma = \gamma\}$$

$$= \delta C^1(\mathcal{U},\Theta_X).$$

Damit ergibt sich die Inklusion

$$Z^2(\mathcal{U},\Theta_X)/B^2(\mathcal{U},\Theta_X) \hookrightarrow C^{20}/B^2(\mathcal{U},\Theta_X) = E_2^{20}.$$

<u>6.13. Satz.</u> Man hat eine kanonische exakte Sequenz

$$0 \longrightarrow H^1(X,\Theta_X) \longrightarrow H^1(E^{\cdot}) \longrightarrow H^0(X,\mathcal{E}xc_X^1) \longrightarrow H^2(X,\Theta_X) \longrightarrow H^2(E^{\cdot}).$$

Beweis. Nach einem allgemeinen Satz über Spektralsequenzen ([11], Théorème I. 4.5.1) hat man eine exakte Sequenz

$$0 \longrightarrow E_2^{1,0} \longrightarrow H^1(E^\cdot) \longrightarrow E_2^{0,1} \longrightarrow E_2^{2,0} \longrightarrow H^2(E^\cdot).$$

Mit Satz (6.12) ergibt sich daraus die Behauptung, da die Abbildung

$$H^0(X, \mathcal{E}x_X^1) = E_2^{0,1} \longrightarrow E_2^{2,0}$$

über $H^2(X, \Theta_X)$ faktorisiert.

6.14. Corollar. Der $\mathbb{C}$-Vektorraum $H^1(E^\cdot)$ hat endliche Dimension.

6.15. Satz. Es gibt eine kanonische Bijektion

$$H^1(E^\cdot) \longrightarrow \text{Def}(X, p_1).$$

Beweis. Wir ordnen einem Cozyklus

$$(\pi, \gamma) = (\pi_i, \gamma_{ij}) \in Z^1(E^\cdot(\mathcal{U}))$$

auf folgende Weise eine Deformation von X über dem Doppelpunkt $p_1 = (0, \mathbb{C}[\varepsilon])$ zu. Über $E_i \times p_1$ sei

$$P_{i1} := P_{i1}^0 + \varepsilon \pi_i.$$

Dann wird durch das von P_{i1} erzeugte Ideal ein Unterraum $Y_i \subset E_i \times p_1$ definiert, der wegen $\partial \pi = 0$ eine Deformation von U_1 darstellt. Jetzt ist

$$Y_{ij} := Y_i \cap (E_{ij} \times p_1)$$

eine Deformation von $U_i \cap U_j$. Über $E_{ij} \times p_1$ setzen wir

$$g_{ij} := \text{id} + \varepsilon \gamma_{ij}.$$

Wegen der Beziehung $\partial\gamma = \delta\pi$ erhält man damit Isomorphismen

$$g_{ij}u_{ij}: Y_{ji} \longrightarrow Y_{ij}.$$

Die Relation $\delta\gamma = h^{o^1}\pi$ besagt nun gerade, daß die Verklebungs-
abbildungen $g_{ij}u_{ij}$ über den dreifachen Durchschnitten der
Cozyklenrelation genügen. Also erhält man durch Verklebung der
Y_i eine Deformation Y von X über p_1.
Eine etwas längliche Rechnung zeigt, daß die so beschriebene Zuordnung die gewünschte Bijektion liefert.

§ 7. Hindernistheorie

=====================

Wir entwickeln jetzt eine Hindernistheorie für die Fortsetzung von Deformationen bei kleiner Erweiterung der Basis.

7.1. Definition. Eine Immersion S $\longrightarrow$ S' von Raumkeimen heißt kleine Erweiterung, wenn gilt

$$\mathcal{M}_{S'} \operatorname{Ker}(\mathcal{O}_{S'} \longrightarrow \mathcal{O}_S) = 0.$$

Der Kern L := $\operatorname{Ker}(\mathcal{O}_{S'} \longrightarrow \mathcal{O}_S)$ ist dann ein endlichdimensionaler $\mathbb{C}$-Vektorraum.

7.2. Bezeichnungen. Wir beziehen uns auf die in (5.4) definierte analytische Einspannung von X und bezeichnen mit B wieder den Keim des $\mathbb{C}^m$ im Nullpunkt. Wir setzen

$$\mathcal{M} := \prod_{n=1}^{N} M(\ell_n \times \ell_n, \mathcal{O}_{\mathbb{C}^N \times B}),$$

$$\mathcal{L} := M(\ell_1 \times N, \mathcal{O}_{\mathbb{C}^N \times B}).$$

Für eine adaptierte Überdeckung $\mathcal{U} = (U_i, E_i)$ bezeichne $C^1(\mathcal{U}, \mathcal{M})$ die Menge aller Familien

$$(M_{ij,n})_{i,j \in I}, \ 1 \leq n \leq N \quad \text{mit} \quad M_{ij,n} \in \Gamma(E_{ij}, M(\ell_n \times \ell_n, \mathcal{O}_{\mathbb{C}^N \times B}))$$

und $C^2(\mathcal{U}, \mathcal{L})$ die Menge aller Familien

$$(C_{ijk})_{i,j,k \in I} \quad \text{mit} \quad C_{ijk} \in \Gamma(E_{ijk}, M(\ell_1 \times N, \mathcal{O}_{\mathbb{C}^N \times B})).$$

7.3. Definition des Hinderniscozyklus. Sei S $\longhookrightarrow$ S' eine kleine Erweiterung von Unterkeimen von B und L := $\operatorname{Ker}(\mathcal{O}_{S'} \longrightarrow \mathcal{O}_S)$. Weiter sei $\mathcal{U}$ eine adaptierte Überdeckung von X und $(P_i, g_{ij}) \in C^1(\mathcal{U}; \mathcal{P}, \mathcal{G})$ ein Cozyklus über S. Dann gibt es Matrizen $M = (M_{ij}) \in C^1(\mathcal{U}, \mathcal{M})$ und $C = (C_{ijk}) \in C^2(\mathcal{U}, \mathcal{L})$ mit $M(0) = M^0$ und $C(0) = C^0$ (vgl. 5.4), so daß gilt:

i) $P_{i,n}P_{i,n+1} = 0$ über S ,

ii) $M_{ji,n-1}P_{i,n}(g_{ij}u_{ij}) = P_{j,n}M_{ji,n}$ über S, $(M_{ji,o}=1)$

iii) $(g_{ij}u_{ij})(g_{jk}u_{jk}) - g_{ik}u_{ik} = P_{k,1}C_{kji}$ über S.

Wir definieren nun Größen Ξ_i, H_{ij}, Z_{ijk} durch

$$\Xi_i := P_{i,1}P_{i,2} \ ,$$

$$H_{ij}(u_{ij}) := P_{i,1}(g_{ij}u_{ij}) - P_{j,1}M_{ji,1} \ ,$$

$$Z_{ijk}(u_{ik}) := (g_{ij}u_{ij})(g_{jk}u_{jk}) - g_{ik}u_{ik} - P_{k,1}C_{kji} .$$

Da nach Voraussetzung $(\Xi,H,Z)|S = 0$, folgt

$$(\Xi,H,Z)|S' \equiv 0 \mod L.$$

Wir setzen $(\xi,\eta,\zeta) := (\Xi,H,Z)|S' \mod(P^o) \otimes L$, d.h.

$$(\xi_i,\eta_{ij},\zeta_{ijk}) := (\Xi_i,H_{ij},Z_{ijk})|S' \mod(P^o_{1,i}) \otimes L.$$

Es ist

$$\xi = (\xi_i) \in C^o(\mathcal{U},\mathcal{O}_X^{\ell_2}) \otimes L,$$

$$\eta = (\eta_{ij}) \in C^1(\mathcal{U},\mathcal{O}_X^{\ell_1}) \otimes L,$$

$$\zeta = (\zeta_{ijk}) \in C^2(\mathcal{U},\mathcal{O}_X^N) \otimes L,$$

also

$$(\xi,\eta,\zeta) \in E^2(\mathcal{U}) \otimes L.$$

Die Definition von (ξ,η,ζ) ist unabhängig von der Auswahl der Matrizen M und C. Wir zeigen als Beispiel, daß η unabhängig von der Auswahl von M ist. Sei $\widetilde{M} \in C^1(\mathcal{U},\mathcal{M})$ eine andere Cokette mit $\widetilde{M}(0) = M^o$ und

$$P_{i,1}(g_{ij}u_{ij}) - P_{j,1}\widetilde{M}_{ji,1} = 0 \text{ über S}$$

und sei $\tilde{\eta}$ mittels $\tilde{M}$ berechnet. Für $K := M_{ji,1} - \tilde{M}_{ji,1}$ gilt dann $K(O) = O$, $P_{j,1}K = O$ über S und

$$\tilde{\eta}_{ij}(u_{ij}) - \eta_{ij}(u_{ij}) = (P_{j,1}K)|S' \bmod (P^{O}_{j,1}) \otimes L.$$

Da die Sequenz $(P_{j,1},P_{j,2})$ über S exakt ist, existiert eine $\ell_2 \times \ell_1$-Matrix Q mit $Q(O)$ und $K = P_{j,2}Q$ über S, d.h.

$$K = P_{j,2}Q + \kappa \quad \text{über S' mit } \kappa \equiv O \bmod L.$$

Wir können annehmen, daß $Q(O) = O$. Jetzt folgt

$$P_{j1}K = P_{j1}P_{j2}Q + P_{j1}\kappa = P^{O}_{j1}\kappa \quad \text{über S'},$$

da $P_{j1}P_{j2}|S' \equiv O \bmod L$ und $Q|S' \equiv O \bmod \mathcal{m}_{S'}$.

Daraus folgt $\eta = \tilde{\eta}$.

Wir nennen $(\xi,\eta,\zeta) =: \Delta^{S'}_{S}(P,g)$ den <u>Hinderniscozyklus</u> von (P,g) bzgl. der kleinen Erweiterung $S \hookrightarrow S'$.

<u>7.4. Lemma.</u> Die Bezeichnungen von (7.3) werden beibehalten. Seien (P,g), $(\tilde{P},\tilde{g}) \in C^{1}(\mathcal{U};\mathcal{P},\mathcal{G})$ Cozyklen über S mit $(P,g)|S = (\tilde{P},\tilde{g})|S$. Wir definieren das Element $(\pi,\gamma) \in E^{1}(\mathcal{U}) \otimes L$ durch

$$\pi_i := (\tilde{P}_{i,1}-P_{i,1})|S' \bmod (P^{O}_{i,1}) \otimes L \;,$$

$$\gamma_{ij} := (\tilde{g}_{ij}-g_{ij})|S' \bmod (P^{O}_{i,1}) \otimes L.$$

Dann gilt

$$\Delta^{S'}_{S}(\tilde{P},\tilde{g}) - \Delta^{S'}_{S}(P,g) = d^{1}(\pi,\gamma).$$

Der Beweis ergibt sich durch eine direkte Rechnung.

<u>7.5. Corollar.</u> Setzt man in Lemma (7.4) zusätzlich voraus, daß (P,g) und $(\tilde{P},\tilde{g})$ Cozyklen über S' sind, so ist, so liegt (π,γ) in $Z^{1}(E^{\cdot}(\mathcal{U})) \otimes L$.

Dies folgt daraus, daß dann $\Delta^{S'}_{S}(\tilde{P},\tilde{g}) = \Delta^{S'}_{S}(P,g) = O$.

7.6. Satz. Mit den Bezeichnungen (7.3) gilt: Genau dann läßt sich die durch (P,g) definierte Deformation über S zu einer Deformation von X über S' erweitern, wenn der Hinderniscozyklus $\Delta_S^{S'}(P,g)$ ein Corand ist.

Beweis. Setzen wir voraus, daß $\Delta_S^{S'}(P,g) = d^1(\pi,\gamma)$. Es gibt eine Cokette $(\widetilde{P},\tilde{g}) \in C^1(\mathcal{U};\mathcal{P},\mathcal{G})$ mit $(\widetilde{P},\tilde{g})|S = (P,g)|S$ und

$$\pi = (\widetilde{P}_1-P_1)|S' \quad \mathrm{mod}\ (P^O)\otimes L\ ,$$

$$\gamma = (\tilde{g}-g)|S' \quad\quad \mathrm{mod}\ (P^O)\otimes L.$$

Aus dem Lemma (7.4) folgt nun $\Delta_S^{S'}(\widetilde{P},\tilde{g}) = O$, d.h. es gibt Größen κ_i, μ_{ji}, c_{kji}, die über S' kongruent O mod L sind, so daß über S' gilt:

$$\widetilde{P}_{i1}\,\widetilde{P}_{i2} = P^O_{i1}\kappa_i,$$

$$\widetilde{P}_{i1}(\tilde{g}_{ij}u_{ij}) - \widetilde{P}_{j1}\widetilde{M}_{ji,1} = P^O_{j1}\mu_{ji},$$

$$(\tilde{g}_{ij}u_{ij})(\tilde{g}_{jk}u_{jk}) - (\tilde{g}_{ik}u_{ik}) - \widetilde{P}_{k1}\widetilde{C}_{kji} = P^O_{k1}c_{kji}.$$

Wir dürfen sogar annehmen, daß die Größen κ_i, μ_{ji}, c_{kji} alle gleich null sind (man hat dazu nur $\widetilde{P}_{i,2}$, $\widetilde{M}_{ji,1}$, $\widetilde{C}_{kji}$ durch $\widetilde{P}_{i,2} - \kappa_i$, $\widetilde{M}_{ji,1} + \mu_{ji}$, $\widetilde{C}_{kji} + c_{kji}$ zu ersetzen). Aus $\widetilde{P}_{i,1}\widetilde{P}_{i,2} = O$ folgt, daß man $(\widetilde{P}_{i,1},\widetilde{P}_{i,2})$ zu einem Komplex $\widetilde{P}_i = (\widetilde{P}_{i,1},\ldots,\widetilde{P}_{i,N})$ über S' mit $\widetilde{P}_i|S = P_i|S$ ergänzen kann. Nun ist $(\widetilde{P}_i,\tilde{g}_{ij}) \in C^1(\mathcal{U};\mathcal{P},\mathcal{G})$ ein Cozyklus über S'. Die zugeordnete Deformation setzt die durch (P_i,g_{ij}) gegebene Deformation über S nach S' fort.
Die Umkehrung folgt noch einfacher aus Lemma (7.4).

7.7. Bemerkung. Jede Deformation Y von X über S läßt sich durch einen Cozyklus $(P,g) \in C^1(\mathcal{U};\mathcal{P},\mathcal{G})$ repräsentieren, vgl. (5.8). Die Cohomologieklasse von $\Delta_S^{S'}(P,g)$ hängt nur von der Isomorphieklasse von Y ab. Man erhält so eine Abbildung

$$\Delta:\ \mathrm{Def}(X,S) \longrightarrow H^2(E^\cdot(\mathcal{U}))\otimes L.$$

Wir definieren nun eine Wirkungsabbildung

$$H^1(E^\cdot(\mathcal{U}))\otimes L \longrightarrow \mathrm{Def}(X,S')$$

auf folgende Weise: Die Elemente

$$x \in H^1(E^\bullet(\mathcal{U})) \otimes L \text{ und } [Y] \in \text{Def}(X,S')$$

seien repräsentiert durch den Cozyklus $(\pi,\gamma) \in z^1(E^\bullet(\mathcal{U})) \otimes L$ bzw. den Cozyklus $(P,g) \in C^1(\mathcal{U};\mathcal{P},\mathcal{G})$ über S'. Es gibt nun einen Cozyklus $(\widetilde{P},\widetilde{g}) \in C^1(\mathcal{U};\mathcal{P},\mathcal{G})$ mit

$$\pi = (\widetilde{P}_1 - P_1)|S' \text{ mod } (P^\circ) \otimes L,$$

$$\gamma = (\widetilde{g}-g)|S' \text{ mod } (P^\circ) \otimes L.$$

Nun sei $x.[Y] \in \text{Def}(X,S')$ die durch $(\widetilde{P},\widetilde{g})$ repräsentierte Deformation. Corollar (7.5) und Satz (7.6) besagen nun gerade, daß die Sequenz

$$H^1(E^\bullet(\mathcal{U})) \otimes L \xrightarrow{\;\;.\;\;} \text{Def}(X,S') \longrightarrow \text{Def}(X,S) \xrightarrow{\;\Delta\;} H^2(E^\bullet(\mathcal{U})) \otimes L$$

exakt ist. Dabei bedeutet Exaktheit an der Stelle Def(X,S'), daß zwei Elemente [Y], $[\widetilde{Y}] \in \text{Def}(X,S')$ genau dann gleiche Beschränkung auf S haben, wenn ein $x \in H^1(E^\bullet(\mathcal{U})) \otimes L$ existiert mit $[\widetilde{Y}] = x.[Y]$.

7.8. Lemma. Seien $\mathcal{W} \ll \mathcal{U}$ adaptierte Überdeckungen von X. Weiter seien ein Cozyklus $(\pi,\gamma) \in z^1(E^\bullet(\mathcal{U}))$ und eine Cokette $\xi \in E^\circ(\mathcal{W})$ mit $d^\circ\xi = (\pi,\gamma)$ über $\mathcal{W}$ gegeben. Dann gibt es eine Cokette $\overline{\xi} \in E^\circ(\mathcal{U})$ mit

$$\overline{\xi}|\mathcal{W} = \xi \text{ und } d^\circ\overline{\xi} = (\pi,\gamma) \text{ über } \mathcal{U}.$$

Beweis. Aus $d^\circ\xi = (\pi,\gamma)$ über $\mathcal{W}$ folgt insbesondere $\delta\xi = \gamma$, also

$$\xi_i = \beta_i^j\xi_j - \gamma_{ij} \text{ auf } V_i \cap V_j.$$

Das Element

$$\eta_{ij} := \beta_i^j\xi_j - \gamma_{ij}$$

ist definiert auf $U_i \cap V_j$. Wir zeigen nun

$$(*) \quad \eta_{ij} = \eta_{ik} \text{ auf } U_i \cap V_j \cap V_k.$$

<u>Beweis von (*)</u>: Wegen $d^1(\pi,\gamma) = 0$ gilt insbesondere $\delta\gamma = h^{\circ 1}\pi$, also

$$\beta_i^j\gamma_{jk} - \gamma_{ik} + \gamma_{ij} = (h^{\circ 1}\pi)_{ijk} \quad \text{über } U_i \cap U_j \cap U_k.$$

Nach Hilfssatz (6.7) und wegen $\partial\xi = \pi$ gilt andererseits

$$\beta_i^j\beta_j^k\xi_k - \beta_i^k\xi_k = (h^{\circ 1}\partial\xi)_{ijk} = (h^{\circ 1}\pi)_{ijk} \quad \text{über } U_i \cap U_j \cap V_k.$$

Deshalb gilt über $U_i \cap U_j \cap V_k$

$$\gamma_{ik} - \gamma_{ij} = \beta_i^j\gamma_{jk} - \beta_i^j\beta_j^k\xi_k + \beta_i^k\xi_k.$$

Nun erhalten wir über $U_i \cap V_j \cap V_k$

$$\eta_{ij} - \eta_{ik} = \beta_i^j\xi_j - \gamma_{ij} - \beta_i^k\xi_k + \gamma_{ik}$$

$$= \beta_i^j\xi_j + \beta_i^j\gamma_{jk} - \beta_i^j\beta_j^k\xi_k$$

$$= \beta_i^j(\gamma_{jk} + \xi_j - \beta_j^k\xi_k) = 0,$$

da $\partial\xi = \gamma$. Damit ist (*) bewiesen.

Wegen (*) gibt es ein Element $\bar{\xi}_i \in \Gamma(U_i, \mathcal{O}_X^N)$ mit

$$\bar{\xi}_i = \eta_{ij} \quad \text{auf } U_i \cap V_j.$$

Das Element $\bar{\xi} = (\bar{\xi}_i) \in E^{\circ}(\mathcal{U})$ erfüllt nun $\bar{\xi}|\mathcal{V} = \xi$ und $d^{\circ}\bar{\xi} = (\pi,\gamma)$ über $\mathcal{U}$, wie man einfach nachrechnet.

Wir wollen noch beweisen, daß der Unterraum der Coränder $d^1E^1(\mathcal{U}) \subset E^2(\mathcal{U})$ abgeschlossen ist. Dazu beweisen wir zunächst ein allgemeines Lemma.

<u>7.9. Lemma.</u> Seien A,B Frecheträume und d: A $\longrightarrow$ B eine stetige lineare Abbildung. Es sei

$$B = F^{\circ}B \supset F^1B \supset \ldots \supset F^kB = 0$$

eine Filtrierung von B durch abgeschlossene Unterräume F^iB. Wir definieren eine Filtrierung von A durch

$$\Phi^i A := \{x \in A: dx \in F^i B\} \ , \ 0 \leq i \leq k.$$

Es werde vorausgesetzt, daß die von d induzierten Abbildungen

$$\Phi^i A / \Phi^{i+1} A \longrightarrow F^i B / F^{i+1} B$$

abgeschlossenes Bild besitzen. Dann besitzt auch die Abbildung
d: A ⟶ B abgeschlossenes Bild.

Beweis. Wir zeigen durch absteigende Induktion nach i, daß die
Abbildung d: $\Phi^i A \longrightarrow F^i B$ abgeschlossenes Bild besitzt. Der Induktionsanfang i = k ist trivial.

Induktionsschritt i + 1 ⟹ i.

Aus der Voraussetzung folgt, daß $d(\Phi^i A) + F^{i+1} B$ ein abgeschlossener
Unterraum von B, also selbst ein Fréchetraum ist. Die Abbildung

$$\alpha: \Phi^i A \oplus F^{i+1} B \longrightarrow d(\Phi^i A) + F^{i+1} B,$$

$$(x, \eta) \longmapsto dx + \eta$$

ist stetig linear und surjektiv, nach dem Satz von Banach also
offen. Es gilt

$$\alpha^{-1}(d(\Phi^i A)) = \Phi^i A \oplus d(\Phi^{i+1} A).$$

Nach Induktionsvoraussetzung ist $d(\Phi^{i+1} A)$ abgeschlossen in
$F^{i+1} B$, also $\alpha^{-1}(d(\Phi^{i+1} A))$ abgeschlossen. Da α offen ist, folgt daß
auch $d(\Phi^i A)$ abgeschlossen ist.

7.10. Satz. Sei $\mathcal{U}$ eine adaptierte Überdeckung von X. Dann hat
die Abbildung $d^1: E^1(\mathcal{U}) \longrightarrow E^2(\mathcal{U})$ abgeschlossenes Bild.
(Dabei trägt $E^1(\mathcal{U})$ die kanonische Fréchetraumstruktur.)

Beweis. Wir verwenden das Lemma (7.9). Für $E^2 := E^2(\mathcal{U})$ benützen
wir die Filtrierung aus (6.11)

$$F^0 E^2 = E^2, \ F^1 E^2 = C^{11} \oplus C^{20}, \ F^2 E^2 = C^{20}, \ F^3 E^2 = 0.$$

Die induzierte Filtrierung auf $E^1 = C^{01} \oplus C^{10}$ ist dann

$$\Phi^0 E^1 = E^1,$$

$$\Phi^1 E^1 = \{(\pi,\gamma) \in E^1 : \partial\pi = 0\},$$

$$\Phi^2 E^1 = \{(\pi,\gamma) \in E^1 : \partial\pi = 0 \text{ und } \partial\gamma = \delta\pi\}.$$

Man hat natürliche Isomorphien

$$F^0 E^2/F^1 E^2 \cong C^{02}, \quad F^1 E^2/F^2 E^2 \cong C^{11}, \quad F^2 E^2/F^3 E^2 \cong C^{20}.$$

Die durch d^1 induzierten Abbildungen $\Phi^\nu E^1 \longrightarrow F^\nu E^2/F^{\nu+1} E^2$ schreiben sich vermöge dieser Isomorphien als

$$\tau_0 : \Phi^0 E^1 \longrightarrow C^{02}, \quad \tau_0(\pi,\gamma) = \partial\pi \ ,$$

$$\tau_1 : \Phi^1 E^1 \longrightarrow C^{11}, \quad \tau_1(\pi,\gamma) = \partial\gamma - \delta\pi,$$

$$\tau_2 : \Phi^2 E^1 \longrightarrow C^{20}, \quad \tau_2(\pi,\gamma) = \delta\gamma - h^{01}\pi.$$

Es ist nur noch zu zeigen, daß $\text{Im}\,\tau_\nu$ abgeschlossen ist.

a) $\nu = 0$. Es sei $\mathcal{F}_i$ die kohärente Garbe $\text{Im}(P^0_{i,2} : \mathcal{O}_X^{\ell_1} \longrightarrow \mathcal{O}_X^{\ell_2})$ über U_i. Nun gilt

$$\text{Im}\,\tau_0 = \prod_i \Gamma(U_i, \mathcal{F}_i) \subset C^0(\mathcal{U}, \mathcal{O}_X^{\ell_2}).$$

Daher ist $\text{Im}\,\tau_0$ abgeschlossen.

b) $\nu = 1$. Wir bezeichnen mit Z den folgenden Unterraum von C^{11}

$$Z := \{\zeta \in C^1(\mathcal{U}, \mathcal{O}_X^{\ell_1}) : \partial\zeta = 0\}.$$

Sei $p: Z \longrightarrow C^1(\mathcal{U}, \mathcal{E}x_X^1)$ die kanonische Projektion. Man überlegt sich leicht, daß

$$\text{Im}\,\tau_1 = p^{-1}(B^1(\mathcal{U}, \mathcal{E}x_X^1)).$$

Da $H^1(\mathcal{U}, \mathcal{E}x_X^1)$ endlich-dimensional ist, ist $B^1(\mathcal{U}, \mathcal{E}x_X^1) \subset C^1(\mathcal{U}, \mathcal{E}x_X^1)$ abgeschlossen, also auch $\text{Im}\,\tau_1$.

c) $\nu = 2$. Unter Benutzung der Rechenregeln (6.9.b,c) zeigt man, daß

$$B^2(\mathcal{U}, \mathcal{E}x_X^o) \subset \mathrm{Im}\tau_2 \subset Z^2(\mathcal{U}, \mathcal{E}x_X^o).$$

Da $H^2(\mathcal{U}, \mathcal{E}x_X^o)$ endlich-dimensional ist, folgt daß $\mathrm{Im}\tau_2$ abgeschlossen ist.

Kapitel II. Glättungssatz

Wie in Kapitel I gezeigt, kann eine Deformation eines kompakten
komplexen Raumes durch einen gewissen nichtabelschen Cozyklus
beschrieben werden. Bei der späteren Potenzreihenkonstruktion
muß jedesmal bei der Fortsetzung um eine Ordnung die Überdeckung,
bzgl. der der Cozyklus gegeben ist, geschrumpft werden. Zur Über-
windung dieser Schwierigkeit dient der Glättungssatz. Er erlaubt
es, einen Deformationscozyklus auf einer feineren Überdeckung
durch einen cohomologen auf einer gröberen Überdeckung zu ersetzen.
Dabei sind Abschätzungen nötig, die unabhängig von der speziellen
Basis und dem speziellen Cozyklus sind. Als geeigneten Rahmen
für solche Abschätzungstechniken entwickeln wir einen Differentialkalkül in induktiv normierten Räumen. Mit Hilfe einer trickreichen,
von Grauert eingeführten Induktionsmethode wird dann ein Theorem B
mit Normen für Deformationen bewiesen. Aus diesem folgt der
Glättungssatz analog zum klassischen Satz von Leray.

§ 8. Differentialrechnung in induktiv normierten Räumen

8.1. Sei m eine vorgegebene natürliche Zahl. Für einen Banachraum A bezeichnen wir mit $A\{t\} = A\{t_1,\ldots,t_m\}$ den Vektorraum aller konvergenten Potenzreihen

$$f = \sum_{\nu \in \mathbb{N}^m} a_\nu t^\nu \quad , \quad a_\nu \in A.$$

Ist A eine Banachalgebra, so ist $A\{t\}$ in natürlicher Weise eine Algebra. In jedem Fall ist $A\{t\}$ ein Modul über der Algebra $\mathbb{C}\{t\}$.

Für alle $\rho \in \mathbb{R}^m_{++}$ führen wir mit Hilfe der Standardmajorante

$$M(t) = \prod_{j=1}^{m}(\tfrac{1}{2} - \tfrac{1}{4}\sqrt{1-t_j}) = \sum_{\nu \in \mathbb{N}^m} \gamma_\nu t^\nu$$

Pseudonormen in $A\{t\}$ ein (vgl. [7], p. 293): Für $f = \sum a_\nu t^\nu \in A\{t\}$ sei

$$\|f\|_\rho := \inf\{c \in \mathbb{R}_+ : \sum_{\nu \in \mathbb{N}^m} \|a_\nu\| t^\nu << cM(\tfrac{t}{\rho})\}.$$

8.2. Definition. Ein <u>induktiv normierter</u> $\mathbb{C}\{t\}$-<u>Modul</u> ist ein $\mathbb{C}\{t\}$-Modul E zusammen mit einer Familie von Pseudonormen

$$\| \ \|_\rho : E \longrightarrow \mathbb{R}_+ \cup \{\infty\} \quad , \quad \rho \in \mathbb{R}^m_{++} ,$$

mit folgenden Eigenschaften:

i) Für jedes $\rho \in \mathbb{R}^m_{++}$ ist die Menge

$$E_\rho := \{f \in E: \|f\|_\rho < \infty \}$$

ein Banachraum und für alle $\phi \in \mathbb{C}\{t\}_\rho$ und $f \in E_\rho$ gilt die Ungleichung

$$\|\phi f\|_\rho \leq \|\phi\|_\rho \|f\|_\rho.$$

ii) Sei $\rho' \leq \rho$. Dann gilt $\|f\|_{\rho'} \leq \|f\|_\rho$ für alle $f \in E$. (Insbesondere gilt $E_\rho \subset E_{\rho'}$.)

iii) Die Vereinigung aller E_ρ ist gleich E.

8.3. Beispiele. a) $\mathbb{C}\{t\}$ ist mit den oben eingeführten Pseudonormen ein induktiv normierter Modul über sich selbst.

b) Für jeden Banachraum A ist $A\{t\}$ ein induktiv normierter $\mathbb{C}\{t\}$-Modul. Wir bezeichnen mit $A\{t\}^\circ$ den Untermodul von $A\{t\}$ aller Potenzreihen ohne konstantes Glied. $A\{t\}^\circ$ ist ebenfalls ein induktiv normierter $\mathbb{C}\{t\}$-Modul.

c) Sind $E_1, \ldots, E_n$ induktiv normierte $\mathbb{C}\{t\}$-Moduln, so ist auch $E := E_1 \times \ldots \times E_n$ ein induktiv normierter $\mathbb{C}\{t\}$-Modul mit den Pseudonormen

$$\|(f_1, \ldots, f_n)\|_\rho := \max_j \|f_j\|_\rho.$$

d) Die später auftretenden induktiv normierten $\mathbb{C}\{t\}$-Moduln sind von folgender Art: Sei U eine offene Teilmenge des $\mathbb{C}^N$ und $\Gamma_b(U, \mathcal{O}_{\mathbb{C}^N})$ der Banachraum der beschränkten holomorphen Funktionen in U mit der Supremumsnorm. Sei B der Keim des $\mathbb{C}^m$ im Nullpunkt mit dem lokalen Ring $\mathbb{C}\{t\}$. Jedes Element $f \in \Gamma(U, \mathcal{O}_{\mathbb{C}^N \times B})$ läßt sich in eine Potenzreihe

$$f = \sum_\nu f_\nu t^\nu \ , \ f_\nu \in \Gamma(U, \mathcal{O}_{\mathbb{C}^N})$$

entwickeln. Deshalb ist $\Gamma_b(U, \mathcal{O}_{\mathbb{C}^N})\{t\}$ in natürlicher Weise eine Teilmenge von $\Gamma(U, \mathcal{O}_{\mathbb{C}^N \times B})$, die mit $\Gamma_{\mathcal{b}}(U, \mathcal{O}_{\mathbb{C}^N \times B})$ bezeichnet werde. Ist $\mathcal{U} = (U_i)_{i \in I}$ eine endliche Familie offener Teilmengen des $\mathbb{C}^N$, so setzen wir

$$C^q_{\mathcal{b}}(\mathcal{U}, \mathcal{O}_{\mathbb{C}^N \times B}) = \prod \Gamma_{\mathcal{b}}(U_{i_0} \cap \ldots \cap U_{i_q}, \mathcal{O}_{\mathbb{C}^N \times B}).$$

8.4. Definition. Seien E und F induktiv normierte $\mathbb{C}\{t\}$-Moduln. Ein linearer Morphismus von E nach F ist eine $\mathbb{C}\{t\}$-lineare Abbildung $\Phi: E \longrightarrow F$ mit folgender Eigenschaft: Es existiert ein $\rho_0 \in \mathbb{R}^m_{++}$ und ein $K \geq 0$, so daß

$$\|\Phi(x)\|_\rho \le K\|x\|_\rho \text{ für alle } \rho \le \rho_o \text{ und } x \in E_\rho.$$

<u>Bemerkung.</u> Man überlegt sich leicht, daß der Kern eines linearen Morphismus wieder ein induktiv normierter Modul ist.

<u>8.5. Bezeichnungen.</u> Sei E ein induktiv normierter $\mathbb{C}\{t\}$-Modul, $a \in E$ und $r > 0$. Für jedes $\rho \in \mathbb{R}^m_{++}$ mit $\|a\|_\rho < \infty$ sei

$$B_\rho(a,r) := \{x \in E_\rho : \|x - a\|_\rho < r\}$$

und

$$B(a,r) := \bigcup_{\rho \le \rho_o} B_\rho(a,r).$$

Dabei ist ρ_o irgend ein Multiradius mit $\|a\|_{\rho_o} < \infty$; die Definition ist aber unabhängig von der Wahl des ρ_o.

Wir nennen eine Teilmenge $U \subset E$ <u>offen</u>, wenn es zu jedem $a \in U$ ein $r > 0$ gibt mit $B(a,r) \subset U$. Die dadurch gegebene Topologie ist im allgemeinen nicht hausdorffsch. In $A\{t\}^o$ etwa ist jede nichtleere offene Teilmenge gleich dem gesamten Raum, da für alle $x \in A\{t\}^o$ gilt

$$\lim_{\rho \to 0} \|x\|_\rho = 0.$$

<u>8.6. Definition.</u> Seien E und F induktiv normierte $\mathbb{C}\{t\}$-Moduln, $U \subset E$ eine offene Teilmenge und $f: U \longrightarrow F$ eine Abbildung. Wir nennen f <u>differenzierbar</u>, wenn es zu jedem $a \in U$ ein $\rho_o \in \mathbb{R}^m_{++}$ mit $\|a\|_{\rho_o} < \infty$ und Konstanten $r > 0$, $K \ge 0$ gibt, so daß für alle $\rho \le \rho_o$ gilt:

i) $B_\rho(a,r) \subset U$ und

$$\|f(x)\|_\rho \le K \text{ für alle } x \in B_\rho(a,r),$$

(lokale Beschränktheit).

ii) Die durch f induzierte Abbildung

$$f_\rho : B_\rho(a,r) \longrightarrow F_\rho$$

ist differenzierbar im Sinne der Differentialrechnung in Banachräumen und ihr Differential ist in jedem Punkt $\mathbb{C}\{t\}_\rho$-linear.

8.7. Bemerkungen. a) Da eine differenzierbare Abbildung zwischen
komplexen Banachräumen analytisch ist, besitzt die Abbildung f_ρ
Ableitungen jeder Ordnung. $D^n f_\rho(x)$, $x \in B_\rho(a,r)$. Aus der Bedingung
(i) folgt die Cauchyabschätzung

$$\| D^n f_\rho(x) \|_\rho \le \frac{n!K}{(r/2)^n}$$

für alle $\rho \le \rho_o$ und alle $x \in B_\rho(a,r/2)$.
b) Man überlegt sich leicht, daß sich die $D^n f_\rho(x)$ zu einer homogen
polynomialen Abbildung vom Grad n

$$D^n f(x) : E \longrightarrow F$$

zusammensetzen. Die erste Ableitung $Df(x)$ ist ein $\mathbb{C}\{t\}$-linearer
Morphismus von E nach F.
c) Der Begriff der differenzierbaren Abbildung überträgt sich in
natürlicher Weise auf Abbildungen zwischen affinen Räumen über
induktiv normierten $\mathbb{C}\{t\}$-Moduln.

8.8. Satz. Seien E und F induktiv normierte $\mathbb{C}\{t\}$-Moduln,
f: E $\longrightarrow$ F eine differenzierbare Abbildung und $\mathcal{U} \subset \mathbb{C}\{t\}$ ein Ideal.
Dann gilt: Sind $x,y \in E$ mit $x - y \in \mathcal{U}E$, so folgt

$$f(x) - f(y) \in \mathcal{U}F.$$

Beweis. Nach dem Mittelwertsatz gilt $f(x) - f(y) = A(x-y)$, wobei

$$A := \int_o^1 Df(y+t(x-y))dt.$$

Da A: E $\longrightarrow$ F eine $\mathbb{C}\{t\}$-lineare Abbildung ist, folgt die Behauptung.

8.9. Satz (über implizite Funktionen). Seien E_1, E_2 und F induktiv normierte $\mathbb{C}\{t\}$-Moduln, $U_i \subset E_i$ offene Umgebungen der Null sowie

$$\Phi: U_1 \times U_2 \longrightarrow F$$

eine differenzierbare Abbildung mit $\Phi(0,0) = 0$. Das partielle Differential

$$D_2\Phi(0,0): E_2 \longrightarrow F$$

besitze einen linearen Morphismus $\sigma: F \longrightarrow E_2$ als Schnitt. Dann gibt es eine offene Umgebung $V \subset U_1$ der Null, sowie eine differenzierbare Abbildung $\varphi: V \longrightarrow U_2$ mit $\varphi(0) = 0$ und

$$\Phi(x, \varphi(x)) = 0 \text{ für alle } x \in V.$$

Der Beweis kann wie im Banachraum-Fall geführt werden, vgl. [21], [8].

§ 9. Homomorphismenräume
================================

9.1. Seien A und B Banachräume. Die Menge aller linearen Morphismen von A{t} nach B{t} werde mit Hom(A{t},B{t}) bezeichnet. Sei $\Phi \in \text{Hom}(A\{t\},B\{t\})$ und $\rho \in \mathbb{R}_{++}^m$. Dann setzen wir

$$\|\Phi\|_\rho^{op} := \sup\{\|\Phi(x)\|_\rho : \|x\|_\rho \leq 1\}.$$

Nach Definition des linearen Morphismus gibt es eine Konstante $K \geq 0$ und ein $\rho_0 \in \mathbb{R}_{++}^m$, so daß $\|\Phi\|_\rho^{op} \leq K$ für alle $\rho \leq \rho_0$. Mit Hom(A,B) bezeichnen wir den Banachraum aller stetig linearen Abbildungen $\varphi: A \longrightarrow B$ mit der Operatornorm. Jedem

$$\Phi = \sum \varphi_\nu t^\nu \in \text{Hom}(A,B)\{t\}$$

ordnen wir eine $\mathbb{C}\{t\}$-lineare Abbildung A{t} $\longrightarrow$ B{t}, die wieder mit Φ bezeichnet werde, durch folgende Vorschrift zu: Für

$$f = \sum a_\nu t^\nu \in A\{t\} \text{ sei}$$

$$\Phi(f) := \sum_{\nu,\mu} \varphi_\nu(a_\mu) t^{\nu+\mu}.$$

9.2. Satz. Die oben definierte Zuordnung liefert eine bijektive Abbildung

$$\text{Hom}(A,B)\{t\} \longrightarrow \text{Hom}(A\{t\},B\{t\}).$$

Für jedes $\Phi \in \text{Hom}(A,B)\{t\}$ und jedes $\rho \in \mathbb{R}_{++}^m$ gilt die Ungleichung

$$\|\Phi\|_\rho^{op} \leq \|\Phi\|_\rho \leq \frac{1}{\gamma_0} \|\Phi\|_\rho^{op}.$$

Beweis. a) Sei $\rho \in \mathbb{R}_{++}^m$ und $\Phi \in \text{Hom}(A,B)\{t\}$ mit $\|\Phi\|_\rho = C < \infty$. Dann gilt

$$\|\varphi_\nu\| \leq \frac{C\gamma_\nu}{\rho^\nu} \quad \text{für alle } \nu \in \mathbb{N}^m .$$

Sei $f = \sum a_\nu t^\nu \in A\{t\}$ mit $\|f\|_\rho \leq 1$, d.h. $\|a_\nu\| \leq \dfrac{\gamma_\nu}{\rho^\nu}$ für alle ν. Es ist $\Phi(f) = \sum b_\nu t^\nu$, wobei $b_\nu = \sum\limits_{\lambda+\mu=\nu} \varphi_\lambda(a_\mu)$.

Nun gilt:

$$\|b_\nu\| \leq \sum_{\lambda+\mu=\nu} \frac{C\gamma_\lambda}{\rho^\lambda} \cdot \frac{\gamma_\mu}{\rho^\mu} \leq C\frac{\gamma_\nu}{\rho^\nu}.$$

Daraus folgt:

$$\|\Phi(f)\|_\rho \leq C, \text{ d.h. } \|\Phi\|_\rho^{\text{op}} \leq C.$$

Diese Ungleichung gilt auch für jedes $\rho' \leq \rho$. Damit ist insbesondere gezeigt, daß die im Satz erwähnte Abbildung wohldefiniert ist.

b) Sei $\rho \in \mathbb{R}_{++}^m$ und $\Phi \in \text{Hom}(A\{t\},B\{t\})$ mit $\|\Phi\|_\rho^{\text{op}} =: K < \infty$. Durch die Formel

$$\Phi(a) = \sum \varphi_\nu(a)t^\nu, \quad a \in A$$

wird eine Familie (φ_ν) von $\mathbb{C}$-linearen Abbildungen $\varphi_\nu: A \longrightarrow B$ definiert. Für jedes $a \in A$ gilt

$$\|\Phi(a)\|_\rho \leq K\|a\|_\rho = \frac{K}{\gamma_o}\|a\|.$$

Daraus folgt

$$\|\varphi_\nu(a)\| \leq \frac{\gamma_\nu}{\rho^\nu} \cdot \frac{K}{\gamma_o}\|a\|,$$

d.h.

$$\|\varphi_\nu\| \leq \frac{K}{\gamma_o} \cdot \frac{\gamma_\nu}{\rho^\nu}.$$

Damit ist gezeigt, daß

$$\|\Phi\|_\rho = \|\sum \psi_\nu t^\nu\|_\rho \leq \frac{K}{\gamma_o} = \frac{1}{\gamma_o}\|\Phi\|_\rho^{\text{op}}.$$

9.3. Satz. Seien A,B Banachräume und φ_0: A $\longrightarrow$ B ein Isomorphismus. Dann gilt:

a) Der affine Raum

$$G := \varphi_0 + \text{Hom}(A,B)\{t\}^0$$

besteht aus lauter Isomorphismen von A{t} nach B{t}.

b) Die Abbildung

$$\imath: G \longrightarrow \text{Hom}(B\{t\},A\{t\}), \quad \varphi \longmapsto \varphi^{-1},$$

ist differenzierbar.

Beweis. Sei $F := \varphi_0^{-1} + \text{Hom}(B,A)\{t\}^0$. Wendet man auf die Abbildungen

$$\Phi_1: G \times F \longrightarrow \text{Hom}(A,A)\{t\}, \quad (\varphi,\psi) \longmapsto \psi \circ \varphi,$$

$$\Phi_2: G \times F \longrightarrow \text{Hom}(B,B)\{t\}, \quad (\varphi,\psi) \longmapsto \varphi \circ \psi,$$

das implizite Funktionentheorem (8.9) an, so ergibt sich die Behauptung.

9.4. Satz (Aufspaltungshilfssatz). Sei

$$A' \xrightarrow{\varphi_0} A \xrightarrow{\psi_0} A''$$

eine direkt exakte Sequenz von Banachräumen. Wir bezeichnen mit G die Menge aller (nicht notwendig exakten) Sequenzen

$$A'\{t\} \xrightarrow{\varphi} A\{t\} \xrightarrow{\psi} A''\{t\}$$

mit $\varphi(0) = \varphi_0$ und $\psi(0) = \psi_0$, d.h.

$$G = (\varphi_0,\psi_0) + (\text{Hom}(A',A)\{t\}^0 \times \text{Hom}(A,A'')\{t\}^0)$$

und mit H die Menge aller Sequenzen

$$A'\{t\} \xleftarrow{\tau} A\{t\} \xleftarrow{\sigma} A''\{t\},$$

d.h.

$$H = \text{Hom}(A\{t\},A'\{t\}) \times \text{Hom}(A''\{t\},A\{t\}).$$

<u>Behauptung:</u> Es gibt eine differenzierbare Abbildung $\gamma: G \longrightarrow H$ mit folgender Eigenschaft: Ist $(\varphi,\psi) \in G$ und $\gamma(\varphi,\psi) =: (\tau,\sigma)$, so gilt:

$$\varphi\tau + \sigma\psi - \sigma\psi\varphi\tau = 1_{A\{t\}}$$

<u>Beweis.</u> Da die Sequenz (φ_o,ψ_o) direkt exakt ist, gibt es direkte Summenzerlegungen

$$A' = L' \oplus M', \quad A = L \oplus M, \quad A'' = L'' \oplus M''$$

wobei

$$L' = \text{Ker } \varphi_o, \quad L = \text{Ker } \psi_o = \text{Im } \varphi_o, \quad L'' = \text{Im } \psi_o.$$

Durch φ_o und ψ_o werden Isomorphismen $\varphi_o: M' \longrightarrow L$ bzw. $\psi_o: M \longrightarrow L''$ induziert. Deshalb sind die Abbildungen

$$M' \times M \longrightarrow A, \quad (x',x) \longmapsto \varphi_o(x') + x,$$
$$M \times M'' \longrightarrow A'', \quad (x,x'') \longmapsto \psi_o(x) + x''$$

Isomorphismen. Nach Satz 9.3 sind deshalb für beliebiges $(\varphi,\psi) \in G$ die Abbildungen

$$\Phi: M'\{t\} \times M\{t\} \longrightarrow A\{t\}, \quad (x',x) \longmapsto \varphi(x') + x,$$
$$\Psi: M\{t\} \times M''\{t\} \longrightarrow A''\{t\}, \quad (x,x'') \longmapsto \psi(x) + x''$$

Isomorphismen. Wir betrachten deren Inverse und setzen

$$\tau := \text{pr}_1 \circ \Phi^{-1} \in \text{Hom}(A\{t\},A'\{t\}),$$
$$\sigma := \text{pr}_1 \circ \Psi^{-1} \in \text{Hom}(A''\{t\},A\{t\}).$$

Die durch $\gamma(\varphi,\psi) := (\tau,\sigma)$ definierte Abbildung ist nach Satz 9.3 differenzierbar.

Wir zeigen jetzt, daß γ sich der gewünschten Eigenschaft erfreut: Sei $y \in A\{t\}$ beliebig vorgegeben und sei

$$(x',x) := \Phi^{-1}(y) \ , \ \text{d.h.} \ y = \varphi(x') + x.$$

Nach Definition von τ ist $x' = \tau(y)$, also

$(*) \quad y = \varphi\tau y + x.$

Es gilt $\Psi(x,0) = \psi(x)$, d.h. $(x,0) = \Psi^{-1}(\psi(x))$. Nach Definition von σ folgt daraus

$$x = \sigma\psi(x) = \sigma\psi(y-\varphi\tau y).$$

Setzt man dies in die Gleichung $(*)$ ein, so erhält man

$$y = \varphi\tau y + \sigma\psi y - \sigma\psi\varphi\tau y.$$

§ 10. Die Garbe der vertikalen Automorphismen

Im folgenden bezeichnen wir mit B stets den Keim des $\mathbb{C}^m$ in seinem Ursprung. Die kanonischen Koordinaten seien $t_1,\ldots,t_m$. Dann ist $\mathbb{C}\{t_1,\ldots,t_m\}$ der lokale Ring von B.

10.1. Definition. Sei U eine offene Menge im $\mathbb{C}^N$. Wir setzen

$$\mathcal{H}(U) := \Gamma(U, \mathcal{O}^N_{\mathbb{C}^N \times B}).$$

Bemerkung. Mit der natürlichen Beschränkungsabbildung $\mathcal{H}(U) \longrightarrow \mathcal{H}(V)$ für $V \subset U$ erhält man eine Garbe $\mathcal{H}$ auf $\mathbb{C}^N$. Jedes Element $h \in \mathcal{H}(U)$ läßt sich eindeutig in eine Potenzreihe

$$h = \sum_{\nu \in \mathbb{N}^m} h_\nu t^\nu$$

mit $h_\nu \in \Gamma(U, \mathcal{O}^N_{\mathbb{C}^N})$ entwickeln.

10.2. Bezeichnung. Wir bezeichnen mit $\Gamma_b(U, \mathcal{O}^N_{\mathbb{C}^N})$ den Banachraum aller Elemente $f \in \Gamma(U, \mathcal{O}^N_{\mathbb{C}^N})$ mit

$$|f|_U := \sup\{|f(z)| : z \in U\} < \infty.$$

Dann läßt sich $\Gamma_b(U, \mathcal{O}^N_{\mathbb{C}^N})\{t\}$ als Teilraum von $\Gamma(U,\mathcal{H})$ auffassen, den wir mit $\Gamma_\beta(U,\mathcal{H})$ bezeichnen. $\Gamma_\beta(U,\mathcal{H})$ ist ein induktiv normierter $\mathbb{C}\{t\}$-Modul mit den in (8.1) eingeführten Pseudonormen, die wir hier mit $\|\ \|_{U\rho}$ bezeichnen.

Bemerkung. Liegt U relativkompakt in U', so gilt

$$\mathrm{Im}(\Gamma(U',\mathcal{H}) \longrightarrow \Gamma(U,\mathcal{H})) \subset \Gamma_\beta(U,\mathcal{H}).$$

10.3. Vertikale Automorphismen. Sei U eine offene Menge im $\mathbb{C}^N$.

$$\mathcal{G}(U) = \{g \in \mathcal{H}(U): g(z,0) = z\}$$

läßt sich als die Gruppe der vertikalen Automorphismen $U \times B \longrightarrow U \times B$ auffassen, vgl. (4.3) und [8], § 2. Die Zusammensetzung zweier Elemente g,h $\in \mathcal{G}(U)$ wird mit g∘h oder g(h) bezeichnet. Manchmal schreiben wir dafür nur kurz gh.

Wir setzen

$$\Gamma_{\mathscr{b}}(U,\mathcal{G}) := \{g \in \Gamma(U,\mathcal{G}) : g - \text{id} \in \Gamma_{\mathscr{b}}(U,\mathcal{h})\}.$$

Bemerkung. $\Gamma_{\mathscr{b}}(U,\mathcal{G})$ ist ein affiner Raum über dem induktiv normierten $\mathbb{C}\{t\}$-Modul $T\Gamma_{\mathscr{b}}(U,\mathcal{G}) := \Gamma_b(U, \mathcal{O}^N_{\mathbb{C}^N})\{t\}^0$.

<u>10.4. Lemma.</u> Seien $V \subset\subset U$ offene Mengen im $\mathbb{C}^N$. Dann gibt es Konstanten $\varepsilon > 0$ und $K > 0$, so daß für alle $\rho \in \mathbb{R}^m_{++}$ und alle $h \in \Gamma_{\mathscr{b}}(U,\mathcal{h})$ und $g \in \Gamma_{\mathscr{b}}(V,\mathcal{G})$ mit $\|g - \text{id}\|_{V\rho} \leq \varepsilon$ die Abschätzung gilt:

$$\|h(g)\|_{V\rho} \leq K\|h\|_{U\rho}.$$

<u>10.5. Lemma.</u> Seien $V \subset\subset U$ offene Mengen im $\mathbb{C}^N$. Dann gibt es Konstanten $\varepsilon > 0$ und $K > 0$, so daß für alle $\rho \in \mathbb{R}^m_{++}$ und alle $h \in \Gamma_{\mathscr{b}}(U,\mathcal{h})$ und $g \in \Gamma_{\mathscr{b}}(V,\mathcal{G})$, $\psi \in T\Gamma_{\mathscr{b}}(V,\mathcal{G})$ mit

$$\|g - \text{id}\|_{V\rho} \leq \varepsilon \quad \text{und} \quad \|\psi\|_{V\rho} \leq \varepsilon$$

gilt:

$$\left\|h(g+\psi) - h(g) - \frac{\partial h}{\partial z}(g)\psi\right\|_{V\rho} \leq K\|h\|_{U\rho}\|\psi\|^2_{V\rho}.$$

Diese beiden Lemmata werden wie in [8], Lemma 2.15 und 2.17 bewiesen. Mit ihrer Hilfe zeigt man den folgenden Satz über die Komposition von Abbildungen (vgl. [8], Satz 1.18).

<u>10.6. Satz.</u> Seien $V \subset\subset U$ offene Mengen im $\mathbb{C}^N$. Dann ist die Abbildung

$$\mu: \Gamma_{\mathscr{b}}(U,\mathcal{h}) \times \Gamma_{\mathscr{b}}(V,\mathcal{G}) \longrightarrow \Gamma_{\mathscr{b}}(V,\mathcal{h})$$
$$(h,g) \longmapsto h(g)$$

differenzierbar. Ihr Differential im Punkte (h,g) ist

$$D\mu(h,g): \Gamma_{\mathscr{E}}(U,\mathscr{G}) \times T\Gamma_{\mathscr{E}}(V,\mathscr{G}) \longrightarrow \Gamma_{\mathscr{E}}(V,\mathscr{G})$$
$$(\varphi,\psi) \longmapsto \varphi(g) + \frac{\partial h}{\partial z}(g)\psi.$$

Mit Hilfe des impliziten Funktionentheorems (8.9) gewinnt man daraus

10.7. Satz. Seien $V \subset\subset U$ offene Mengen im $\mathbb{C}^N$. Dann ist die Abbildung

$$\iota: \Gamma_{\mathscr{E}}(U,\mathscr{G}) \longrightarrow \Gamma_{\mathscr{E}}(V,\mathscr{G})$$
$$g \longmapsto g^{-1}$$

differenzierbar. Für ihr Differential gilt $D\iota(id) = -1$.

10.8. Satz. Seien $V \subset\subset U$ und W offene Mengen im $\mathbb{C}^N$, $u \in \Gamma_b(U, \mathcal{O}^N_{\mathbb{C}^N})$ und $v \in \Gamma(W, \mathcal{O}^N_{\mathbb{C}^N})$ mit $v(W) \subset V$. Dann ist die Abbildung

$$\theta: \Gamma_{\mathscr{E}}(V,\mathscr{G}) \longrightarrow \Gamma_{\mathscr{E}}(W,\mathscr{G})$$
$$g \longmapsto u \circ g \circ v$$

differenzierbar.

Beweis. Aus Satz (10.6) folgt, daß die Abbildung

$$\theta_1: \Gamma_{\mathscr{E}}(V,\mathscr{G}) \longrightarrow \Gamma_{\mathscr{E}}(V,\mathscr{G})$$
$$g \longmapsto u \circ g$$

wohldefiniert und differenzierbar ist.

Die Abbildung

$$\theta_2: \Gamma_{\mathscr{E}}(V,\mathscr{G}) \longrightarrow \Gamma_{\mathscr{E}}(W,\mathscr{G})$$
$$h \longmapsto h \circ v$$

ist ein linearer Morphismus. Daraus folgt, daß $\theta = \theta_2 \circ \theta_1$ differenzierbar ist.

§ 11. Aufspaltungslemma
=========================

11.1. Wir beziehen uns auf die in (4.1) eingeführten Bezeichnungen. Insbesondere sei $D \subset \mathbb{C}^N$ eine Steinsche offene Menge, X ein abgeschlossener analytischer Unterraum von D und

$$\mathcal{O}_{\mathbb{C}^N} \xleftarrow{\quad P_1^o \quad} \mathcal{O}_{\mathbb{C}^N}^{\ell_1} \xleftarrow{\quad P_2^o \quad} \cdots \xleftarrow{\quad P_N^o \quad} \mathcal{O}_{\mathbb{C}^N}^{\ell_N} \xleftarrow{\quad\quad} 0$$

eine Auflösung der Strukturgarbe $\mathcal{O}_X = \operatorname{Coker} P_1^o$. Die Garbe $\mathcal{P}$ sei wie in (4.2) definiert.

11.2. Normen. Sei U offen in D und $P = (P_1, \ldots, P_N)$ ein Element aus $\mathcal{P}(U)$ mit der Potenzreihenentwicklung

$$P_j = P_j^o + \sum_{\nu \neq 0} P_j^\nu t^\nu .$$

Mit $|P_j^\nu|_U$ bezeichnen wir die Operatornorm von P_j^ν als Abbildung

$$\Gamma_b(U, \mathcal{O}_{\mathbb{C}^N}^{\ell_j}) \longrightarrow \Gamma_b(U, \mathcal{O}_{\mathbb{C}^N}^{\ell_{j-1}}) .$$ Für $\rho \in \mathbb{R}_{++}^m$ setzen wir

$$\|P_j\|_{U\rho} := \inf \left\{ c \in \mathbb{R}_+ : \sum_{\nu \neq 0} |P_j^\nu|_U t^\nu << cM\left(\tfrac{t}{\rho}\right) \right\} ,$$

$$\|P\|_{U\rho} := \max_j \|P_j\|_{U\rho} .$$

Es sei

$$\Gamma_b(U, \mathcal{P}) := \{ P \in \mathcal{P}(U) : \exists \rho \in \mathbb{R}_{++}^m \text{ mit } \|P\|_{U\rho} < \infty \} .$$

Der Raum $\Gamma_b(U, \mathcal{P})$ ist in natürlicher Weise ein affiner Raum über dem induktiv normierten $\mathbb{C}\{t\}$-Modul $T\Gamma_b(U, \mathcal{P})$, der durch die Gleichung

$$\Gamma_b(U, \mathcal{P}) = P^o + T\Gamma_b(U, \mathcal{P})$$

definiert ist, wobei $P^o = (P_1^o, \ldots, P_N^o)$.

Ein Element $P = (P_1, \ldots, P_N) \in \mathscr{P}(U)$ definiert insbesondere einen linearen Morphismus

$$P_1: \Gamma_{\mathscr{b}}(U, \mathcal{O}_{\mathbb{C}^N \times B}^{\ell_1}) \longrightarrow \Gamma_{\mathscr{b}}(U, \mathcal{O}_{\mathbb{C}^N \times B}).$$

Hauptzweck dieses Paragraphen ist die Konstruktion eines Schnittes gegen diese Abbildung mit besonderen Eigenschaften, was im folgenden Satz präzisiert wird.

11.3. Satz (Aufspaltungslemma). Seien $V \subset\subset U \subset\subset D$ Steinsche offene Mengen. Dann gibt es eine differenzierbare Abbildung

$$\alpha: \Gamma_{\mathscr{b}}(U, \mathscr{P}) \longrightarrow \mathrm{Hom}_{\mathbb{C}\{t\}}(\Gamma_{\mathscr{b}}(U, \mathcal{O}_{\mathbb{C}^N \times B}), \Gamma_{\mathscr{b}}(V, \mathcal{O}_{\mathbb{C}^N \times B}^{\ell_1}))$$

mit folgender Eigenschaft: Sei $S \subset B$ ein Unterkeim, $P \in \Gamma_{\mathscr{b}}(U, \mathscr{P})$ ein Komplex über S und $f \in \Gamma_{\mathscr{b}}(U, \mathcal{O}_{\mathbb{C}^N \times B})$ ein Element mit

$$f \in \mathrm{Im}\, P_1 \text{ über } S.$$

Dann gilt

$$P_1\, \alpha(P)\, f = f|V \quad \text{über } S.$$

Dabei bedeutet die Sprechweise "über S", daß die betreffende Aussage nach Beschränkung auf $U \times S$ bzw. $V \times S$ gilt.

11.4. Der Beweis des Aufspaltungslemmas benötigt einige Vorbereitungen. Zunächst führen wir folgende Abkürzungen ein: Wir setzen

$$\mathscr{L}_j^{\circ} := \mathcal{O}_{\mathbb{C}^N}^{\ell_j}, \quad \mathscr{L}_j := \mathcal{O}_{\mathbb{C}^N \times B}^{\ell_j}.$$

Eine offene Steinsche Menge $U \subset D$ heißt __privilegiert__ für die exakte Sequenz

$$\mathscr{L}_o^{\circ} \xleftarrow{\;P_1^{\circ}\;} \mathscr{L}_1^{\circ} \xleftarrow{\;P_2^{\circ}\;} \mathscr{L}_2^{\circ} \xleftarrow{\quad} \cdots \xleftarrow{\;P_N^{\circ}\;} \mathscr{L}_N^{\circ} \xleftarrow{\quad} 0 \;,$$

falls die Sequenz

$$\Gamma_b(U, \mathscr{L}_o^{\circ}) \xleftarrow{\;P_1^{\circ}\;} \Gamma_b(U, \mathscr{L}_1^{\circ}) \xleftarrow{\;P_2^{\circ}\;} \cdots \xleftarrow{\;P_N^{\circ}\;} \Gamma_b(U, \mathscr{L}_N^{\circ}) \xleftarrow{\quad} 0$$

direkt exakt ist. Bekanntlich gibt es zu jedem Punkt a ∈ D ein
Fundamentalsystem von privilegierten Umgebungen.

11.5. Satz (privilegiertes Aufspaltungslemma). Sei U ⊂⊂ D eine
privilegierte offene Teilmenge. Dann gibt es für k = 0,1,...,N-1
differenzierbare Abbildungen

$$\sigma_k: \Gamma_{\mathscr{b}}(U,\mathscr{P}) \longrightarrow \text{Hom}_{\mathbb{C}\{t\}}(\Gamma_{\mathscr{b}}(U,\mathscr{L}_k),\Gamma_{\mathscr{b}}(U,\mathscr{L}_{k+1}))$$

mit folgender Eigenschaft: Ist S ⊂ B ein Unterkeim und P ∈ $\Gamma_{\mathscr{b}}(U,\mathscr{P})$ ein
Komplex über S, so gilt für k = 1,...,N .

$$P_k\sigma_{k-1}(P)P_k = P_k \text{ über S.}$$

Beweis. Nach dem Aufspaltungshilfssatz (9.4) gibt es differenzierbar
von P abhängige Abbildungen

$$\sigma_{k-1}(P): \Gamma_{\mathscr{b}}(U,\mathscr{L}_{k-1}) \longrightarrow \Gamma_{\mathscr{b}}(U,\mathscr{L}_k),$$

$$\tau_k(P): \Gamma_{\mathscr{b}}(U,\mathscr{L}_k) \longrightarrow \Gamma_{\mathscr{b}}(U,\mathscr{L}_{k+1}),$$

die folgender Gleichung genügen:

$$P_{k+1}\tau_k(P) + \sigma_{k-1}(P)P_k - \sigma_{k-1}(P)P_kP_{k+1}\tau_k(P) = 1.$$

Ist nun S ein Unterkeim von B und P ∈ $\Gamma_{\mathscr{b}}(U,\mathscr{P})$ ein Komplex über S,
so folgt daraus

$$P_{k+1}\tau_k(P) + \sigma_{k-1}(P)P_k = 1 \text{ über S}$$

und durch Multiplikation von links mit P_k

$$P_k\sigma_{k-1}(P)P_k = P_k \text{ über S.}$$

11.6. Wir werden das Aufspaltungslemma durch Induktion beweisen und
formulieren dazu folgende Lemmata:

Lemma I_k. Seien V ⊂⊂ U ⊂⊂ D offene Steinsche Mengen. Dann gibt es
eine differenzierbare Abbildung

$$\alpha_k: \Gamma_{\mathcal{b}}(U,\widetilde{\mathcal{P}}) \longrightarrow \text{Hom}_{\mathbb{C}\{t\}}(\Gamma_{\mathcal{b}}(U,\mathcal{L}_k),\Gamma_{\mathcal{b}}(V,\mathcal{L}_{k+1}))$$

mit folgender Eigenschaft: Sei $S \subset B$ ein Unterkeim, $P \in \Gamma_{\mathcal{b}}(U,\widetilde{\mathcal{P}})$ ein Komplex über S und $f \in \Gamma_{\mathcal{b}}(U,\mathcal{L}_k)$ ein Element mit

$$f \in \text{Im } P_{k+1} \text{ über S.}$$

Dann gilt

$$P_{k+1}\alpha_k(P)f = f|V \text{ über S.}$$

<u>Lemma II$_k$</u>. Seien $\mathfrak{V} << \mathcal{U}$ endliche Familien offener Scheinscher Mengen in D, so daß $U := |\mathcal{U}|$ Steinsch ist, und sei $q \geq 1$ eine natürliche Zahl. Dann gibt es eine differenzierbare Abbildung

$$\beta_k: \Gamma_{\mathcal{b}}(U,\widetilde{\mathcal{P}}) \longrightarrow \text{Hom}_{\mathbb{C}\{t\}}(C^q_{\mathcal{b}}(\mathcal{U},\mathcal{L}_k),\, C^{q-1}_{\mathcal{b}}(\mathfrak{V},\mathcal{L}_k))$$

mit folgender Eigenschaft: Sei $S \subset B$ ein Unterkeim, $P \in \Gamma_{\mathcal{b}}(U,\widetilde{\mathcal{P}})$ ein Komplex über S und $\xi \in C^q_{\mathcal{b}}(\mathcal{U},\mathcal{L}_k)$ eine Cokette mit

$$\xi \in \text{Im } P_{k+1} \text{ über S}$$

und

$$\delta\xi = 0 \text{ über S.}$$

Dann gilt

$$\beta_k(P)\xi \in \text{Im } P_{k+1} \text{ über S}$$

und

$$\delta\beta_k(P)\xi = \xi|\mathfrak{V} \quad \text{über S.}$$

Lemma I_o ist nichts anderes als das Aufspaltungslemma (11.3). Wir beweisen die Lemmata I_k und II_k simultan durch Induktion nach folgendem Schema:

a) $\quad II_k \implies I_{k-1}$,

b) $\quad II_k \;\&\; I_{k-1} \implies II_{k-1}$.

Der Induktionsanfang II_{N+1} ist trivial. Dem Beweis der Induktionsschritte schicken wir einige Hilfssätze voraus.

11.7. Folgender Satz läßt sich leicht mit Hilbertraummethoden beweisen:

<u>Satz.</u> Seien $\mathfrak{V} \ll \mathfrak{U}$ endliche Familien offener Steinscher Mengen im $\mathbb{C}^N$, so daß $|\mathfrak{U}|$ Steinsch ist. Dann gibt es zu jeder natürlichen Zahl $q \geq 1$ eine stetige $\mathbb{C}$-lineare Abbildung

$$\lambda : C_b^q(\mathfrak{U}, \mathcal{O}_{\mathbb{C}^N}) \longrightarrow C_b^{q-1}(\mathfrak{V}, \mathcal{O}_{\mathbb{C}^N})$$

mit folgender Eigenschaft: Ist $\xi \in C_b^q(\mathfrak{U}, \mathcal{O}_{\mathbb{C}^N})$ ein Cozyklus, so gilt

$$\delta\lambda(\xi) = \xi|\mathfrak{V} .$$

11.8. Wir erinnern an einige Bezeichnungen aus der Grauertschen Reduktionstheorie (vgl. [7], § 2): Seien $S \subset B$ ein Unterkeim und $\mathcal{J} \subset \mathbb{C}\{t_1, \ldots, t_m\}$ sein Ideal. Dann nennt man

$$\Delta := \mathbb{N}^m \setminus \operatorname{ord}(\mathcal{J})$$

die Menge der S-reduzierten Indizes. Die S-reduzierten Potenzreihen sind die Reihen der Gestalt

$$f = \sum_{\nu \in \Delta} a_\nu t^\nu .$$

<u>Hilfssatz.</u> Sei $S \subset B$ ein Unterkeim mit definierendem Ideal $\mathcal{J}$ und U eine offene Teilmenge von $\mathbb{C}^N$. Es bezeichne

$$\mathcal{R}_S \subset \Gamma_{\mathcal{J}}(U, \mathcal{O}_{\mathbb{C}^N \times B}) = \Gamma_b(U, \mathcal{O}_{\mathbb{C}^N})\{t\}$$

den Untervektorraum der S-reduzierten Potenzreihen und $\mathcal{H}_S$ den

Untervektorraum aller $f \in \Gamma_{\ell}(U, \mathcal{O}_{\mathbb{C}^N \times B})$ mit $f = 0$ über S. Dann gilt:

i) $\quad \mathcal{H}_S = \mathcal{J} \Gamma_{\ell}(U, \mathcal{O}_{\mathbb{C}^N \times B})$,

ii) $\quad \Gamma_{\ell}(U, \mathcal{O}_{\mathbb{C}^N \times B}) = \mathcal{R}_S \oplus \mathcal{H}_S$.

Dieser Hilfssatz folgt unmittelbar aus dem Grauertschen Divisions-satz (vgl. [7], Satz 2.9).

11.9. Satz. Seien $\mathcal{W} << \mathcal{U}$ endliche Familien offener Steinscher Mengen im $\mathbb{C}^N$, so daß $|\mathcal{U}|$ Steinsch ist. Dann gibt es zu jeder natürlichen Zahl $q \geq 1$ einen linearen Morphismus

$$\lambda: C_{\ell}^q(\mathcal{U}, \mathcal{O}_{\mathbb{C}^N \times B}) \longrightarrow C_{\ell}^{q-1}(\mathcal{W}, \mathcal{O}_{\mathbb{C}^N \times B})$$

mit folgender Eigenschaft: Ist $S \subset B$ ein Unterkeim und $\xi \in C_{\ell}^q(\mathcal{U}, \mathcal{O}_{\mathbb{C}^N \times B})$ ein Cozyklus über S, so gilt

$$\delta \lambda(\xi) = \xi|\mathcal{W} \quad \text{über S.}$$

Beweis. Die Abbildung λ wird durch koeffizientenweises Anwenden der Abbildung aus Satz (11.7) konstruiert. Ist $\xi \in C_{\ell}^q(\mathcal{U}, \mathcal{O}_{\mathbb{C}^N \times B})$ ein Cozyklus über B, so gilt $\delta \lambda(\xi) = \xi|\mathcal{W}$, da alle Koeffizienten von ξ Cozyklen sind.

Sei nun $\xi \in C_{\ell}^q(\mathcal{U}, \mathcal{O}_{\mathbb{C}^N \times B})$ ein Cozyklus über S. Nach Hilfssatz (11.8) läßt sich ξ darstellen als $\xi = \xi_1 + \xi_2$, wobei ξ_1 reduziert bezüglich S und $\xi_2|S = 0$ ist. Da $\delta \xi_2|S = 0$ und $\delta \xi_1$ reduziert bezüglich S ist, folgt $\delta \xi_1 = 0$. Nach dem oben Bemerkten ist $\delta \lambda(\xi_1) = \xi_1|\mathcal{W}$; außerdem gilt, weil λ linear über $\mathbb{C}\{t\}$ ist, $\lambda(\xi_2)|S = 0$. Daraus folgt

$$\delta \lambda(\xi) = \xi|\mathcal{W} \quad \text{über S.}$$

11.10. Corollar (Projektionslemma). Sei $\mathcal{U} = (U_i)$ eine endliche Familie offener Steinscher Mengen im $\mathbb{C}^N$, so daß $|\mathcal{U}|$ Steinsch ist und

$V \subset\subset |\mathcal{U}|$ eine offene Menge. Dann gibt es einen linearen Morphismus

$$\pi: C^0_{\mathscr{E}}(\mathcal{U}, \mathcal{O}_{\mathbb{C}^N \times B}) \longrightarrow \Gamma_{\mathscr{E}}(V, \mathcal{O}_{\mathbb{C}^N \times B})$$

mit folgender Eigenschaft: Ist $S \subset B$ ein Unterkeim und $\xi = (\xi_i) \in C^0_{\mathscr{E}}(\mathcal{U}, \mathcal{O}_{\mathbb{C}^N \times B})$ ein Cozyklus über S, so gilt für alle i

$$\pi(\xi)|U_i \cap V = \xi_i|U_i \cap V \quad \text{über S.}$$

Beweis. Wir wählen eine endliche Familie offener Steinscher Mengen $\mathcal{W} \ll \mathcal{U}$ mit $|\mathcal{W}| = V$. Dann läßt sich $\Gamma_{\mathscr{E}}(V, \mathcal{O}_{\mathbb{C}^N \times B})$ mit $Z^0_{\mathscr{E}}(\mathcal{W}, \mathcal{O}_{\mathbb{C}^N \times B})$ identifizieren. Es sei λ die Abbildung aus Satz (11.9) für $q = 1$. Für jedes $\xi \in C^0_{\mathscr{E}}(\mathcal{U}, \mathcal{O}_{\mathbb{C}^N \times B})$ ist dann

$$\pi(\xi) := \xi - \lambda(\delta\xi)$$

ein Element aus $Z^0_{\mathscr{E}}(\mathcal{W}, \mathcal{O}_{\mathbb{C}^N \times B})$ und man rechnet leicht nach, daß π die gewünschte Eigenschaft besitzt.

11.11. Beweis der Implikation $II_k \Rightarrow I_{k-1}$.

Wir wählen endliche Familien offener Steinscher Mengen $\mathcal{W} \ll \mathcal{U} \ll \mathcal{V}$ mit folgenden Eigenschaften:

$$V \subset\subset |\mathcal{W}| \subset\subset |\mathcal{U}| \subset\subset |\mathcal{V}| \subset\subset U,$$

$|\mathcal{U}|$ Steinsch,

$\mathcal{V} = (D_i)_{i \in I}, \quad D_i$ privilegiert.

Es wird nun ein linearer Morphismus

$$\alpha_{k-1}(P): \Gamma_{\mathscr{E}}(U, \mathscr{L}_{k-1}) \longrightarrow \Gamma_{\mathscr{E}}(V, \mathscr{L}_k),$$

der differenzierbar von $P \in \Gamma_{\mathscr{E}}(U, \mathcal{P})$ abhängt, wie folgt konstruiert: Nach dem privilegierten Aufspaltungslemma (11.5) gibt es für jedes $i \in I$ differenzierbar von P abhängige lineare Morphismen

$$\sigma_{k-1,i}(P): \Gamma_{\!\&}(D_i \mathscr{L}_{k-1}) \longrightarrow \Gamma_{\!\&}(D_i \mathscr{L}_k).$$

Diese werden zu der Abbildung

$$\sigma_{k-1}(P): C^0_{\&}(\mathscr{V}\mathscr{L}_{k-1}) \longrightarrow C^0_{\&}(\mathscr{V}\mathscr{L}_k)$$

zusammengefaßt. Nach Lemma II_k gibt es einen linearen Morphismus

$$\beta_k(P): C^1_{\&}(\mathscr{U}\mathscr{L}_k) \longrightarrow C^0_{\&}(\mathscr{U}\mathscr{L}_k),$$

der differenzierbar von P abhängt. Wir bezeichnen mit

$$\pi: C^0_{\&}(\mathscr{U}\mathscr{L}_k) \longrightarrow \Gamma_{\!\&}(V\mathscr{L}_k)$$

die Abbildung aus dem Projektionslemma (11.10). Für
$f \in \Gamma_{\!\&}(U\mathscr{L}_{k-1})$ sei

$$\widetilde{f} := (f|D_i)_{i\in I} \in C^0_{\&}(\mathscr{V}\mathscr{L}_{k-1}).$$

Wir definieren nun

$$\alpha_{k-1}(P)f := \pi(\sigma_{k-1}(P)\widetilde{f} - \beta_k(P)\delta\sigma_{k-1}(P)\widetilde{f}).$$

Die so konstruierte Abbildung α_{k-1} hat die in Lemma I_{k-1} geforderte Eigenschaft. Sei nämlich $S \subset B$ ein Unterkeim, $P \in \Gamma_{\!\&}(U,\mathscr{P})$ ein Komplex über S und $f \in \Gamma_{\!\&}(U,\mathscr{L}_{k-1})$ ein Element mit

$$f \in \text{Im } P_k \text{ über } S.$$

Es ist zu zeigen

$$P_k\alpha_{k-1}(P)f = f \text{ über } S.$$

Nach dem privilegierten Aufspaltungslemma folgt

$$P_k\sigma_{k-1}(P)\widetilde{f} = \widetilde{f} \text{ über } S.$$

Wir setzen zur Abkürzung

$$\omega := \delta\sigma_{k-1}(P)\widetilde{f}.$$

Dann ist $\delta\omega = 0$ und über S gilt

$$P_k\omega = P_k\delta\sigma_{k-1}(P)\widetilde{f} = \delta P_k\sigma_{k-1}(P)\widetilde{f} = \delta\widetilde{f} = 0,$$

d.h.

$$\omega \in \text{Im } P_{k+1} \text{ über } S.$$

Aus II_k folgt somit

$$\beta_k(P)\omega \in \text{Im } P_{k+1} \text{ über } S$$

und

$$\delta\beta_k(P)\omega = \omega \text{ über } S.$$

Für $\zeta := \sigma_{k-1}(P)\widetilde{f} - \beta_k(P)\omega$ gilt daher

$$\delta\zeta = \omega - \delta\beta_k(P)\omega = 0 \text{ über } S$$

und

$$P_k\zeta = P_k\sigma_{k-1}(P)\widetilde{f} = \widetilde{f} \text{ über } S.$$

Aus dem Projektionslemma folgt

$$\pi(\zeta)|V_i \cap V = \zeta_i|V_i \cap V \text{ über } S.$$

Damit haben wir auf $V_i \cap V$

$$P_k\alpha_{k-1}(P)f = P_k\pi(\zeta) = P_k\zeta_i = f \text{ über } S.$$

11.12. Beweis der Implikation II_k & $I_{k-1} \Rightarrow II_{k-1}$.

Wir wählen endliche Familien $\mathfrak{w}' \ll \mathfrak{U}'$ offener Steinscher Mengen mit folgenden Eigenschaften

$$\mathfrak{w} \ll \mathfrak{w}' \ll \mathfrak{U}' \ll \mathfrak{U},$$
$$|\mathfrak{w}'|, |\mathfrak{U}'| \quad \text{Steinsch.}$$

Es wird nun ein linearer Morphismus

$$\beta_{k-1}(P): C_{\ell}^q(\mathfrak{U}, \mathscr{L}_{k-1}) \longrightarrow C_{\ell}^{q-1}(\mathfrak{w}, \mathscr{L}_{k-1}),$$

der differenzierbar von $P \in \Gamma_{\ell}(U, \mathscr{P})$ abhängt, wie folgt konstruiert:
Nach II_k und I_{k-1} gibt es lineare Morphismen

$$\beta_k(P): C_{\ell}^{q+1}(\mathfrak{U}', \mathscr{L}_k) \longrightarrow C_{\ell}^q(\mathfrak{w}', \mathscr{L}_k),$$

$$\alpha_{k-1}(P): C_{\ell}^q(\mathfrak{U}, \mathscr{L}_{k-1}) \longrightarrow C_{\ell}^q(\mathfrak{U}', \mathscr{L}_k),$$

die differenzierbar von P abhängen. Wir bezeichnen mit

$$\lambda: C_{\ell}^q(\mathfrak{w}', \mathscr{L}_k) \longrightarrow C_{\ell}^{q-1}(\mathfrak{w}, \mathscr{L}_k)$$

den nach Satz (11.9) existierenden linearen Morphismus.
Für $\xi \in C_{\ell}^q(\mathfrak{U}, \mathscr{L}_{k-1})$ definieren wir nun

$$\beta_{k-1}(P)\xi := P_k \lambda(\alpha_{k-1}(P)\xi - \beta_k(P)\delta\alpha_{k-1}(P)\xi).$$

Die so konstruierte Abbildung β_{k-1} hat die in Lemma II_{k-1} geforderten Eigenschaften. Sei dazu $S \subset B$ ein Unterkeim, $P \in \Gamma_{\ell}(U, \mathscr{P})$ ein Komplex über S und $\xi \in C_{\ell}^q(\mathfrak{U}, \mathscr{L}_{k-1})$ eine Cokette mit

$$\xi \in \text{Im } P_k \quad \text{über } S,$$
$$\delta\xi = 0 \quad \text{über } S.$$

Offensichtlich ist $\beta_{k-1}(P)\xi \in \text{Im } P_k$ über S. Es bleibt zu zeigen

$$\delta\beta_{k-1}(P)\xi = \xi \quad \text{über } S.$$

Beweis hierfür: Nach I_{k-1} gilt

$$P_k \alpha_{k-1}(P)\xi = \xi \text{ über } S.$$

Wir setzen zur Abkürzung

$$\omega := \delta \alpha_{k-1}(P)\xi.$$

Dann ist $\delta \omega = 0$ und über S gilt

$$P_k \omega = \delta P_k \alpha_{k-1}(P)\xi = \delta \xi = 0,$$

d.h.

$$\omega \in \text{Im } P_{k+1} \text{ über } S.$$

Aus II_k folgt somit

$$\beta_k(P)\omega \in \text{Im } P_{k+1} \text{ über } S$$

und

$$\delta \beta_k(P)\omega = \omega \quad \text{über } S.$$

Für $\zeta := \alpha_{k-1}(P)\xi - \beta_k(P)\omega$ gilt daher

$$\delta \zeta = \omega - \delta \beta_k(P)\omega = 0 \text{ über } S$$

und

$$P_k \zeta = P_k \alpha_{k-1}(P)\xi = \xi \quad \text{über } S.$$

Nach Satz (11.9) ist

$$\delta \lambda(\zeta) = \zeta \quad \text{über } S.$$

Insgesamt gilt jetzt über S

$$\delta \beta_{k-1}(P)\xi = \delta P_k \lambda(\zeta) = P_k \delta \lambda(\zeta) = P_k \zeta = \xi,$$

womit das Aufspaltungslemma bewiesen ist.

§ 12. Folgerungen aus dem Aufspaltungslemma
==

Wir behalten die Bezeichnungen aus § 11 bei.

12.1. Definition der Garbe $\mathcal{F}$.

Für eine offene Menge $U \subset D$ bezeichne $\mathcal{F}(U)$ die Menge aller $(N+1)$-tupel $T = (T_0, T_1, \ldots, T_N)$ mit folgenden Eigenschaften:

i) $\quad T_j : \mathcal{O}_{\mathbb{C}^N \times B}^{\ell_j} \longrightarrow \mathcal{O}_{\mathbb{C}^N \times B}^{\ell_j}$

ist ein $\mathcal{O}_{\mathbb{C}^N \times B}$ -Modulmorphismus über U mit $T_j(0) = 1$ für $j = 1, \ldots, N$.

ii) $\quad T_0 = 1 : \mathcal{O}_{\mathbb{C}^N \times B} \longrightarrow \mathcal{O}_{\mathbb{C}^N \times B}$ ist die Identität.

12.2. Analog zu (11.2) werden für Elemente $T \in \mathcal{F}(U)$ Normen $\|T\|_{U\rho}$ erklärt. Wir setzen

$$\Gamma_{\mathcal{b}}(U, \mathcal{F}) := \{T \in \mathcal{F}(U) : \exists \rho \in \mathbb{R}_{++}^m \text{ mit } \|T\|_{U\rho} < \infty \}.$$

Der Raum $\Gamma_{\mathcal{b}}(U, \mathcal{F})$ ist in natürlicher Weise ein affiner Raum über dem induktiv normierten $\mathbb{C}\{t\}$-Modul $T\Gamma_{\mathcal{b}}(U, \mathcal{F})$, der durch die Gleichung

$$\Gamma_{\mathcal{b}}(U, \mathcal{F}) = 1 + T\Gamma_{\mathcal{b}}(U, \mathcal{F})$$

definiert ist.

12.3. Sind $P, P' \in \mathcal{P}(U)$ Komplexe über dem Unterkeim $S \subset B$, so definiert ein Element $T \in \mathcal{F}(U)$ einen Komplexmorphismus $P \longrightarrow P'$ über S, falls

$$T[-1]P = P'T \text{ über } S,$$

d.h.

$$T_{j-1} P_j = P_j' T_j \text{ über } S \text{ für } j = 1, \ldots, N.$$

Insbesondere gilt dann

$$P_1 = P_1'T_1 \text{ über } S,$$

d.h. Im P_1 = Im P_1' über S.

12.4. Satz (Transformationslemma). Seien $V \subset\subset U \subset\subset D$ offene Steinsche Mengen. Dann gibt es eine differenzierbare Abbildung

$$\tau: \Gamma_{\!\mathscr{b}}(U,\tilde{\mathcal{P}}) \times \Gamma_{\!\mathscr{b}}(U,\tilde{\mathcal{P}}) \longrightarrow \Gamma_{\!\mathscr{b}}(V,\tilde{\mathcal{F}})$$

mit folgender Eigenschaft: Sei S ein Unterkeim von B. Sind dann $P,P' \in \Gamma_{\!\mathscr{b}}(U,\tilde{\mathcal{P}})$ Komplexe über S mit Im P_1 = Im P_1' über S, so gilt für $T := \tau(P,P')$

$$T[-1]P = P'T \text{ über } S.$$

Beweis. Wir wählen eine Kette

$$V = V_N \subset\subset \ldots \subset\subset V_1 \subset\subset V_0 = U$$

offener Steinscher Mengen und konstruieren durch Induktion $\mathcal{O}_{\mathbb{C}^N \times B}$ -Morphismen

$$T_k: \mathscr{L}_k \longrightarrow \mathscr{L}_k \text{ über } V_k,$$

die differenzierbar von P und P' abhängen. Dabei ist $\mathscr{L}_k = \mathcal{O}_{\mathbb{C}^N \times B}^{\ell_k}$.

Induktionsanfang. Wir setzen $T_0 = 1$.

Induktionsschritt. Seien $T_0, \ldots, T_{k-1}$ bereits konstruiert. Wir wählen eine offene Steinsche Menge V' mit

$$V_k \subset\subset V' \subset\subset V_{k-1}.$$

Nach Lemma I_{k-1} und I_k gibt es differenzierbar von $P' \in \Gamma_{\!\mathscr{b}}(U,\tilde{\mathcal{P}})$ abhängige Abbildungen

$$\alpha_{k-1}(P') : \Gamma_{\mathcal{B}}(V_{k-1} \mathcal{L}_{k-1}) \longrightarrow \Gamma_{\mathcal{B}}(V' \mathcal{L}_k),$$

$$\alpha_k(P') : \Gamma_{\mathcal{B}}(V' \mathcal{L}_k) \longrightarrow \Gamma_{\mathcal{B}}(V_k \mathcal{L}_{k+1}).$$

Bezeichne e_λ, $1 \le \lambda \le \ell_k$ die kanonische Basis von $\mathcal{L}_k$. Wir setzen

$$g_\lambda := \alpha_{k-1}(P') T_{k-1} P_k e_\lambda$$

und definieren T_k durch

$$T_k e_\lambda := g_\lambda + P'_{k+1} \alpha_k(P')(e_\lambda - g_\lambda).$$

<u>Behauptung:</u> Die durch

$$\tau(P,P') := (T_o, \ldots, T_N)$$

gegebene Abbildung hat die gewünschten Eigenschaften.

<u>Beweis.</u> a) Wir zeigen zunächst, daß $T_k(0) = 1$ für $k = 0, \ldots, N$. Für T_o ist dies trivial. Wir können also annehmen, daß $T_{k-1}(0) = 1$. Dann gilt

$$g_\lambda(0) = \alpha_{k-1}(P^o) P_k^o e_\lambda,$$

also

$$P_k^o g_\lambda(0) = P_k^o \alpha_{k-1}(P^o) P_k^o e_\lambda = P_k^o e_\lambda.$$

Daraus folgt

$$e_\lambda - g_\lambda(0) \in \text{Ker } P_k^o = \text{Im } P_{k+1}^o$$

und weiter

$$T_k(0) e_\lambda = g_\lambda(0) + P_{k+1}^o \alpha_k(P^o)(e_\lambda - g_\lambda(0)) = e_\lambda.$$

b) Seien $P, P' \in \Gamma_{\mathcal{B}}(U, \mathcal{P})$ Komplexe über dem Unterkeim $S \subset B$ mit $\text{Im } P_1 = \text{Im } P'_1$ über S. Wir zeigen durch Induktion über k

$$T_{k-1}P_k = P_k'T_k \quad \text{über } S.$$

Für $k = 1$ gilt

$$P_1'T_1 e_\lambda = P_1'g_\lambda = P_1'\alpha_o(P')P_1 e_\lambda = P_1 e_\lambda \quad \text{über } S,$$

da $P_1 e_\lambda \in \text{Im } P_1'$ über S.
Sei die Behauptung für $k-1$ schon bewiesen. Dann gilt über S

$$P_{k-1}'(T_{k-1}P_k e_\lambda) = T_{k-2}P_{k-1}P_k e_\lambda = 0,$$

d.h.

$$T_{k-1}P_k e_\lambda \in \text{Im } P_k' \quad \text{über } S.$$

Daraus folgt

$$P_k'T_k e_\lambda = P_k'g_\lambda = P_k'\alpha_{k-1}(P')T_{k-1}P_k e_\lambda =$$
$$= T_{k-1}P_k e_\lambda \quad \text{über } S.$$

12.5. Wir beweisen jetzt eine Verallgemeinerung des Projektions-lemmas (11.10).

<u>Satz</u> (Verklebungslemma). Seien $V \subset\subset U \subset\subset D$ Steinsche offene Mengen und $\mathfrak{U} = (U_i)_{i \in I}$ eine endliche Familie Steinscher offener Mengen in D mit

$$V \cap X \subset\subset |\mathfrak{U}| \subset U.$$

Dann gibt es eine differenzierbare Abbildung

$$\kappa: \Gamma_{\!\mathcal{b}}(U,\mathcal{P}) \longrightarrow \text{Hom}_{\mathbb{C}\{t\}}(C_{\!\mathcal{b}}^o(\mathfrak{U}, \mathcal{O}_{\mathbb{C}^N \times B}), \Gamma_{\!\mathcal{b}}(V, \mathcal{O}_{\mathbb{C}^N \times B}))$$

mit folgender Eigenschaft: Sei $S \subset B$ ein Unterkeim, $P \in \Gamma_{\!\mathcal{b}}(U,\mathcal{P})$ ein Komplex über S und $\xi = (\xi_i) \in C_{\!\mathcal{b}}^o(\mathfrak{U}, \mathcal{O}_{\mathbb{C}^N \times B})$ eine Cokette mit

$$\xi_i \equiv \xi_j \mod \text{Im } P_1 \quad \text{über } S.$$

Dann gilt für $f := \kappa(P)\xi \in \Gamma_{\!\!\mathit{b}}(V, \mathcal{O}_{\mathbb{C}^N \times B})$

$$f | U_i \cap V \equiv \xi_i | U_i \cap V \mod \operatorname{Im} P_1 \text{ über } S.$$

Beweis. Wir zeigen zunächst, daß man annehmen darf, daß $|\mathcal{U}| = U$. Ist dies nicht der Fall, so ersetze man $\mathcal{U}$ durch eine endliche Familie $\widetilde{\mathcal{U}} = (\widetilde{U}_k)_{k \in I \cup J}$, $I \cap J = \emptyset$, offener Steinscher Mengen in D mit folgenden Eigenschaften:

i) $\widetilde{U}_i \subset U_i$ für alle $i \in I$

ii) $\widetilde{U}_j \cap X = \emptyset$ für alle $j \in J$

iii) $\widetilde{U} := |\widetilde{\mathcal{U}}|$ ist Steinsch und es gilt

$$V \subset\subset \widetilde{U} \subset U.$$

Man hat dann einen linearen Morphismus

$$C^o_{\mathit{b}}(\mathcal{U}, \mathcal{O}_{\mathbb{C}^N \times B}) \longrightarrow C^o_{\mathit{b}}(\widetilde{\mathcal{U}}, \mathcal{O}_{\mathbb{C}^N \times B}),$$

der einer Familie $(\xi_i)_{i \in I}$ die Familie $(\widetilde{\xi}_k)_{k \in I \cup J}$ mit

$$\widetilde{\xi}_i = \xi_i | \widetilde{U}_i \quad \text{für } i \in I,$$
$$\widetilde{\xi}_j = 0 \quad\quad \text{für } j \in J$$

zuordnet.

Wir nehmen also jetzt an, daß $|\mathcal{U}| = U$. Wir wählen eine endliche Familie $\mathcal{U}' \ll \mathcal{U}$ offener Steinscher Mengen mit $|\mathcal{U}'|$ Steinsch und $V \subset\subset |\mathcal{U}'|$. Nach Lemma II$_o$ gibt es einen differenzierbar von $P \in \Gamma_{\!\!\mathit{b}}(U, \mathcal{P})$ abhängigen linearen Morphismus

$$\beta_o(P): C^1_{\mathit{b}}(\mathcal{U}, \mathcal{O}_{\mathbb{C}^N \times B}) \longrightarrow C^o_{\mathit{b}}(\mathcal{U}', \mathcal{O}_{\mathbb{C}^N \times B}).$$

Sei

$$\pi: C^o_{\mathit{b}}(\mathcal{U}', \mathcal{O}_{\mathbb{C}^N \times B}) \longrightarrow \Gamma_{\!\!\mathit{b}}(V, \mathcal{O}_{\mathbb{C}^N \times B})$$

der nach dem Projektionslemma (11.10) existierende lineare
Morphismus. Nun setzen wir für $\xi \in C_b^o(\mathcal{U}, \mathcal{O}_{\mathbb{C}^N \times B})$

$$\kappa(P)\xi := \pi(\xi - \beta_o(P)\delta\xi).$$

Die so konstruierte Abbildung κ hat die geforderten Eigenschaften.
Sei dazu $S \subset B$ ein Unterkeim, $P \in \Gamma_b(U, \mathcal{P})$ ein Komplex über S und
$\xi = (\xi_i) \in C_b^o(\mathcal{U}, \mathcal{O}_{\mathbb{C}^N \times B})$ eine Cokette mit

$$\xi_i \equiv \xi_j \mod \text{Im } P_1 \text{ über } S.$$

Dann gilt $\delta\xi \in \text{Im } P_1$ über S. Aus Lemma II_o folgt daher

$$\beta_o(P)\delta\xi \in \text{Im } P_1 \text{ über } S,$$
$$\delta(\beta_o(P)\delta\xi) = \delta\xi \text{ über } S.$$

Setzen wir zur Abkürzung

$$\zeta := \xi - \beta_o(P)\delta\xi ,$$

so gilt bzgl. der Überdeckung $\mathcal{U}'$ über S

$$\delta\zeta = \delta\xi - \delta(\beta_o(P)\delta\xi) = \delta\xi - \delta\xi = 0$$

und

$$\zeta \equiv \xi \mod \text{Im } P_1.$$

Aus dem Projektionslemma folgt nun, daß auf $U_i \cap V$ gilt

$$\kappa(P)\xi = \pi(\zeta) = \zeta_i \equiv \xi_i \mod \text{Im } P_1 \text{ über } S.$$

12.6. Wir erinnern an die in § 10 eingeführten Garben $\mathcal{G}$ und $\mathcal{G}$.

<u>Lemma</u> (Automorphismenprojektion). Seien $V \subset\subset U \subset\subset D$ offene
Steinsche Mengen. Dann gibt es eine differenzierbare Abbildung

$$\gamma : \Gamma_{\delta}(U,\widetilde{\mathcal{P}}) \longrightarrow \mathrm{Hom}_{\mathbb{C}\{t\}}(\Gamma_{\delta}(U,\mathcal{G}),\Gamma_{\delta}(V,\mathcal{O}_f))$$

mit folgender Eigenschaft: Ist $P \in \Gamma_{\delta}(U,\widetilde{\mathcal{P}})$ und $h \in \Gamma_{\delta}(U,\mathcal{G})$ ein Element mit

$$h(0) \equiv \mathrm{id} \quad \mathrm{mod\ Im\ } P_1^0 ,$$

so gilt

$$\gamma(P)h \equiv h \quad \mathrm{mod\ Im\ } P_1 .$$

__Beweis.__ Nach dem Aufspaltungslemma (11.3) gibt es einen differenzierbar von $P \in \Gamma_{\delta}(U,\widetilde{\mathcal{P}})$ abhängigen linearen Morphismus

$$\alpha(P) : \Gamma_{\delta}(U, \mathcal{O}_{\mathbb{C}^N \times B})^N \longrightarrow \Gamma_{\delta}(V, \mathcal{O}_{\mathbb{C}^N \times B}^{\ell_1})^N .$$

Für $h \in \Gamma_{\delta}(U, \mathcal{O}_{\mathbb{C}^N \times B})^N = \Gamma_{\delta}(U,\mathcal{G})$ definieren wir nun

$$\eta := h - P_1 \alpha(P)(h-\mathrm{id})$$

und

$$\gamma(P)h := \mathrm{id} + (\eta - \eta(0)) .$$

Sei nun vorausgesetzt, daß

$$h(0) \equiv \mathrm{id} \quad \mathrm{mod\ Im\ } P_1^0 .$$

Bezeichnet $S_0 \subset B$ den durch das maximale Ideal von $\mathbb{C}\{t\}$ definierten Unterkeim, so gilt also

$$h - \mathrm{id} \in (\mathrm{Im\ } P_1)^N \text{ über } S_0 .$$

Da P ein Komplex über S_0 ist, folgt aus dem Aufspaltungslemma

$$P_1 \alpha(P)(h-\mathrm{id}) = h - \mathrm{id} \quad \text{über } S_0 ,$$

also $\eta(0) = \text{id}$ und somit

$$\gamma(P)h = \eta \equiv h \mod \text{Im } P_1.$$

<u>12.7. Corollar.</u> Seien $V \subset\subset U \subset\subset D$ Steinsche offene Mengen und $\mathcal{U} = (U_i)_{i \in I}$ eine endliche Familie Steinscher offener Mengen in D mit

$$V \cap X \subset\subset |\mathcal{U}| \subset U.$$

Dann gibt es eine differenzierbare Abbildung

$$\pi: \Gamma_{\mathcal{b}}(U,\mathcal{P}) \longrightarrow \text{Hom}_{\mathbb{C}\{t\}}(C_{\mathcal{b}}^0(\mathcal{U},\mathcal{G}), \Gamma_{\mathcal{b}}(V,\mathcal{G}))$$

mit folgender Eigenschaft: Ist $P \in \Gamma_{\mathcal{b}}(U,\mathcal{P})$ ein Komplex über S und $h = (h_i) \in C_{\mathcal{b}}^0(\mathcal{U},\mathcal{G})$ eine Cokette mit

$$h(0) \equiv \text{id} \mod \text{Im } P_1^0$$

und

$$h_i \equiv h_j \mod \text{Im } P_1 \text{ über } S,$$

so gilt für $g := \pi(P)h$ auf $V \cap U_i$

$$g \equiv h_i \mod \text{Im } P_1 \text{ über } S.$$

<u>Beweis.</u> Dies folgt durch Hintereinanderschalten des Verklebungslemmas (12.5) und der Automorphismenprojektion (12.6).

§ 13. Theorem B für Deformationen

Das Ziel dieses Paragraphen ist der Beweis eines Analogons von Theorem B für Deformationen, d.h. eine Aussage über das Zerfallen von gewissen Cozyklen, die eine Deformation eines analytischen Unterraumes eines Quaders beschreiben. Dazu benötigen wir zunächst einige Heftungslemmata.

13.1. Der folgende Satz ist wohlbekannt (vgl. z.B. [6], § 6, Prop.1).

Satz (Heftungslemma für $\mathcal{O}_{\mathbb{C}^N}$). Seien U_1, U_2 heftbare offene Quader im $\mathbb{C}^N$. Dann gibt es eine stetige lineare Abbildung

$$\alpha = (\alpha_1, \alpha_2): \Gamma_b(U_1 \cap U_2, \mathcal{O}_{\mathbb{C}^N}) \longrightarrow \Gamma_b(U_1, \mathcal{O}_{\mathbb{C}^N}) \times \Gamma_b(U_2, \mathcal{O}_{\mathbb{C}^N})$$

mit

$$f = \alpha_2(f) - \alpha_1(f) \text{ auf } U_1 \cap U_2$$

für alle $f \in \Gamma_b(U_1 \cap U_2, \mathcal{O}_{\mathbb{C}^N})$.

Zur Definition der heftbaren Quader vgl. [7], § 5,1.

13.2. Durch Anwendung des obigen Satzes auf die Koeffizienten der Potenzreihenentwicklung von Elementen aus $\Gamma_{\mathcal{E}}(U_1 \cap U_2, \mathcal{O}_{\mathbb{C}^N \times B})$ erhält man die folgende Aussage.

Satz (Heftungslemma für $\mathcal{O}_{\mathbb{C}^N \times B}$). Seien U_1, U_2 heftbare offene Quader im $\mathbb{C}^N$. Dann gibt es einen linearen Morphismus

$$\alpha = (\alpha_1, \alpha_2): \Gamma_{\mathcal{E}}(U_1 \cap U_2, \mathcal{O}_{\mathbb{C}^N \times B}) \longrightarrow \Gamma_{\mathcal{E}}(U_1, \mathcal{O}_{\mathbb{C}^N \times B}) \times \Gamma_{\mathcal{E}}(U_2, \mathcal{O}_{\mathbb{C}^N \times B})$$

mit

$$f = \alpha_2(f) - \alpha_1(f) \text{ auf } U_1 \cap U_2$$

für alle $f \in \Gamma_{\mathcal{E}}(U_1 \cap U_2, \mathcal{O}_{\mathbb{C}^N \times B})$.

13.3. Wir erinnern an die in (12.1) definierte Garbe $\mathcal{T}$.

Satz (Heftungslemma für $\mathcal{T}$). Seien U_1, U_2 heftbare offene Quader im $\mathbb{C}^N$. Dann gibt es eine differenzierbare Abbildung

$$\alpha = (\alpha_1, \alpha_2): \Gamma_{\mathcal{b}}(U_1 \cap U_2, \mathcal{F}) \longrightarrow \Gamma_{\mathcal{b}}(U_1, \mathcal{F}) \times \Gamma_{\mathcal{b}}(U_2, \mathcal{F})$$

mit $\alpha(1) = (1,1)$ und

$$T = \alpha_2(T)\alpha_2(T)^{-1} \quad \text{auf } U_1 \cap U_2$$

für alle $T \in \Gamma_{\mathcal{b}}(U_1 \cap U_2, \mathcal{F})$.

Beweis. Wir betrachten die Abbildung

$$\Phi: \Gamma_{\mathcal{b}}(U_1 \cap U_2, \mathcal{F}) \times \Gamma_{\mathcal{b}}(U_1, \mathcal{F}) \times \Gamma_{\mathcal{b}}(U_2, \mathcal{F}) \longrightarrow T\Gamma_{\mathcal{b}}(U_1 \cap U_2, \mathcal{F}),$$

$$(T, T_1, T_2) \longmapsto TT_1 - T_2.$$

Die Abbildung ist differenzierbar und für ihr partielles Differential bzgl. des zweiten und dritten Arguments an der Stelle $(1,1,1)$

$$D_{23}\Phi(1,1,1): T\Gamma_{\mathcal{b}}(U_1, \mathcal{F}) \times T\Gamma_{\mathcal{b}}(U_2, \mathcal{F}) \longrightarrow T\Gamma_{\mathcal{b}}(U_1 \cap U_2, \mathcal{F})$$

gilt

$$D_{23}\Phi(1,1,1)(\tau_1, \tau_2) = \tau_1 - \tau_2.$$

Dieser lineare Morphismus besitzt nach (13.2) einen Schnitt. Die Behauptung folgt deshalb aus dem impliziten Funktionentheorem (8.9).

13.4. Das folgende Heftungslemma für die Garbe $\mathcal{G}$ der vertikalen Automorphismen wird analog zu [8], Satz 3.3, mithilfe von (10.6) bewiesen.

Satz (Heftungslemma für $\mathcal{G}$). Seien U_1, U_2 heftbare offene Quader im $\mathbb{C}^N$ und V eine offene Umgebung von $\overline{U_1 \cap U_2}$. Dann gibt es eine differenzierbare Abbildung

$$\beta = (\beta_1, \beta_2): \Gamma_{\mathcal{b}}(V, \mathcal{G}) \longrightarrow \Gamma_{\mathcal{b}}(U_1, \mathcal{G}) \times \Gamma_{\mathcal{b}}(U_2, \mathcal{G})$$

mit $\beta(\mathrm{id}) = (\mathrm{id}, \mathrm{id})$ und

$$g = \beta_2(g) \circ \beta_1(g)^{-1} \quad \text{auf } U_1 \cap U_2$$

für alle $g \in \Gamma_{\!\mathcal{b}}(V,\mathcal{G})$.

13.5. Satz (Heftungslemma für Deformationen).
Seien $\mathcal{U} = (U_1,U_2)$ und $\mathcal{W} = (V_1,V_2)$ Paare heftbarer offener Quader
in D mit $\mathcal{W} \ll \mathcal{U}$. Dann gibt es eine differenzierbare Abbildung

$$\gamma: C^o_{\mathcal{b}}(\mathcal{U},\mathcal{P}) \times \Gamma_{\!\mathcal{b}}(U_1 \cap U_2,\mathcal{G}) \longrightarrow \Gamma_{\!\mathcal{b}}(V_1 \cup V_2,\mathcal{P}) \times C^o_{\mathcal{b}}(\mathcal{W},\mathcal{G})$$

mit folgender Eigenschaft: Ist $S \subset B$ ein Unterkeim und

$$(P_1,P_2,g) \in C^o_{\mathcal{b}}(\mathcal{U},\mathcal{P}) \times \Gamma_{\!\mathcal{b}}(U_1 \cap U_2,\mathcal{G})$$

ein Element mit

$$g: (P_1) \longrightarrow (P_2) \text{ über } S,$$

so ist mit $\gamma(P_1,P_2,g) =: (\Pi,h_1,h_2)$ das Diagramm

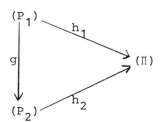

kommutativ über S.
Die hier benutzten Sprechweisen wurden in (4.4) eingeführt.

Beweis. Wir wählen Paare heftbarer offener Quader $\mathcal{U}' = (U_1',U_2')$ und
$\mathcal{W}' = (V_1',V_2')$ mit

$$\mathcal{W} \ll \mathcal{W}' \ll \mathcal{U}' \ll \mathcal{U}.$$

Die Abbildung γ wird wie folgt konstruiert:
Sei

$$(P_1,P_2,g) \in C^o_{\mathcal{b}}(\mathcal{U},\mathcal{P}) \times \Gamma_{\!\mathcal{b}}(U_1 \cap U_2,\mathcal{G})$$

vorgegeben. Nach dem Heftungslemma für die Garbe $\mathcal{G}$ gibt es ein von g differenzierbar abhängiges Paar $(g_1,g_2) \in C^0_{\mathcal{C}}(\mathcal{U}',\mathcal{G})$ mit

$$g = g_2 g_1^{-1} \text{ auf } U_1' \cap U_2'.$$

Auf das Paar $(P_1(g_1),P_2(g_2)) \in C^0_{\mathcal{C}}(\mathcal{U}',\mathcal{P})$ wenden wir das Transformationslemma (12.4) an und erhalten ein

$$T := \tau(P_1(g_1),P_2(g_2)) \in \Gamma_{\mathcal{C}}(V_1' \cap V_2',\mathcal{F}).$$

Nach dem Heftungslemma für die Garbe $\mathcal{F}$ gibt es ein von T differenzierbar abhängiges Paar $(T_1,T_2) \in C^0_{\mathcal{C}}(\mathcal{W}',\mathcal{F})$ mit

$$T = T_2 T_1^{-1} \text{ auf } V_1' \cap V_2'.$$

Auf das Paar

$$\xi := (T_1^{-1}[-1]P_1(g_1)T_1, T_2^{-1}[-1]P_2(g_2)T_2) \in C^0_{\mathcal{C}}(\mathcal{W}',\mathcal{P})$$

wenden wir das Projektionslemma (11.10) an und erhalten

$$\Pi := \pi(\xi) \in \Gamma_{\mathcal{C}}(V_1 \cup V_2,\mathcal{P}).$$

Wir setzen noch

$$h_i := g_i^{-1} \in \Gamma_{\mathcal{C}}(V_i,\mathcal{G})$$

und definieren

$$\gamma(P_1,P_2,g) := (\Pi,h_1,h_2).$$

Die so konstruierte differenzierbare Abbildung γ hat die gewünschte Eigenschaft. Sei nämlich $S \subset B$ ein Unterkeim und es gelte

$$g: (P_1) \longrightarrow (P_2) \text{ über } S.$$

Dann folgt

$$(P_1(g_1)) = (P_2(g_2)) \text{ über } S,$$

also nach dem Transformationslemma

$$T[-1]P_1(g_1) = P_2(g_2)T \text{ über } S,$$

woraus sich ergibt

$$T_1^{-1}[-1]P_1(g_1)T_1 = T_2^{-1}[-1]P_2(g_2)T_2 \text{ über } S.$$

Daraus folgt $P_i(g_i)T_i = T_i[-1]\mathbb{I}$ auf V_i über S, d.h.

$$h_i: (P_i) \longrightarrow (\mathbb{I}) \text{ über } S.$$

Außerdem gilt $h_1 = h_2 g$.

13.6. Satz (Theorem B für Deformationen).
Seien $V \subset\subset U$ offene Quader in D und $\mathcal{W} \ll \mathcal{U}$ endliche Familien offener Steinscher Mengen mit $X \cap V \subset |\mathcal{W}| \subset V$ und $X \cap U \subset |\mathcal{U}| \subset U$. Dann gibt es eine differenzierbare Abbildung

$$\vartheta: C_b^1(\mathcal{U};\mathcal{P},\mathcal{G}) \longrightarrow \Gamma_b(V,\mathcal{P}) \times C_b^0(\mathcal{W},\mathcal{G})$$

mit folgender Eigenschaft: Ist $S \subset B$ ein Unterkeim und $(P,g) \in C_b^1(\mathcal{U};\mathcal{P},\mathcal{G})$ ein Cozyklus über S, so zerfällt (P,g) bzgl. $\mathcal{W}$ über S in $\vartheta(P,g)$.

Beweis. Aufgrund des Cousinschen Induktionsprinzips genügt es, die folgende Aussage zu beweisen.
Vorgegeben seien folgende Objekte:

i) Offene heftbare Quader Q_1, Q_2 mit $Q_k \subset\subset U$.

ii) Ein offener Quader $Q \subset\subset Q_1 \cup Q_2$.

iii) Endliche Familien Steinscher offener Mengen

$\mathcal{U}'$, $\mathcal{W}'$ mit $\mathcal{W} \ll \mathcal{W}' \ll \mathcal{U}' \ll \mathcal{U}$ und $X \cap (Q_1 \cup Q_2) \subset\subset |\mathcal{U}'|$, $X \cap Q \subset\subset |\mathcal{W}'|$.

iv)   Für k = 1,2 differenzierbare Abbildungen

$$\vartheta_{Q_k}: C^1_\varepsilon(\mathcal{U};\mathcal{P},\mathcal{G}) \longrightarrow \Gamma_\varepsilon(Q_k,\mathcal{P}) \times C^0_\varepsilon(\mathcal{U}'\cap Q_k,\mathcal{G})$$

mit folgender Eigenschaft: Ist $S \subset B$ ein Unterkeim und
$(P,g) \in C^1_\varepsilon(\mathcal{U};\mathcal{P},\mathcal{G})$ ein Cozyklus über S, so zerfällt (P,g) bzgl.
$\mathcal{U}' \cap Q_k$ über S in $\vartheta_{Q_k}(P,g)$.

Behauptung. Es gibt eine differenzierbare Abbildung

$$\vartheta_Q: C^1_\varepsilon(\mathcal{U};\mathcal{P},\mathcal{G}) \longrightarrow \Gamma_\varepsilon(Q,\mathcal{P}) \times C^0_\varepsilon(\mathcal{W}'\cap Q,\mathcal{G})$$

mit der analogem Eigenschaft.

Beweis dafür: Wir wählen eine endliche Familie $\mathcal{U}''$ mit

$$\mathcal{W}' << \mathcal{U}'' << \mathcal{U}' \text{ und } X \cap (Q_1 \cup Q_2) \subset\subset |\mathcal{U}''| ,$$

Paare heftbarer offener Quader (Q_1',Q_2') und (Q_1'',Q_2'') mit

$$Q_k'' \subset\subset Q_k' \subset\subset Q_k \text{ und } Q \subset\subset Q_1'' \cup Q_2'',$$

sowie einen offenen Quader W mit

$$Q_1' \cap Q_2' \subset\subset W \subset\subset Q_1 \cap Q_2 .$$

Für $(P,g) \in C^1_\varepsilon(\mathcal{U};\mathcal{P},\mathcal{G})$ konstruieren wir jetzt $\vartheta_Q(P,g)$ in mehreren
Schritten.

a) Sei $\vartheta_{Q_k}(P,g) =: (\Pi_k,f_k)$,

$$\Pi_k \in \Gamma_\varepsilon(Q_k,\mathcal{P}),$$
$$f_k = (f_i^{(k)}) \in C^0_\varepsilon(\mathcal{U}'\cap Q_k,\mathcal{G}).$$

Dann ist

$$f_1\, f_2^{-1} = (f_i^{(1)} \circ (f_i^{(2)})^{-1}) \in C^0_\varepsilon(\mathcal{U}''\cap W,\mathcal{G}).$$

b) Nach dem Verklebungslemma (12.5) gibt es einen differenzierbar von Π_2 abhängigen linearen Morphismus

$$\kappa(\Pi_2): C^o_{\mathcal{b}}(\mathcal{U}''\cap W, \mathcal{g}) \longrightarrow \Gamma_{\mathcal{b}}(Q'_1\cap Q'_2, \mathcal{g}).$$

Wir setzen

$$f := \kappa(\Pi_2)(f_1\circ f_2^{-1}).$$

c) Das Heftungslemma für Deformationen bezüglich der Quaderpaare (Q'_1, Q'_2) und (Q''_1, Q''_2) angewendet auf (Π_1, Π_2, f) liefert

$$(\Pi, \varphi_1, \varphi_2) := \gamma(\Pi_1, \Pi_2, f).$$

Dabei ist

$$\Pi \in \Gamma_{\mathcal{b}}(Q''_1\cup Q''_2, \mathcal{P}), \quad \varphi_k \in \Gamma_{\mathcal{b}}(Q''_k, \mathcal{g}).$$

d) Das Verklebungslemma (12.5) liefert differenzierbar von P abhängige lineare Morphismen

$$\kappa_i(P): C^o_{\mathcal{b}}(U''_i\cap(Q''_1, Q''_2), \mathcal{g}) \longrightarrow \Gamma_{\mathcal{b}}(V'_i\cap Q, \mathcal{g}).$$

Wir setzen

$$h_i := \kappa_i(P)(\varphi_1\circ f_i^{(1)}, \varphi_2\circ f_i^{(2)})$$

und definieren

$$\mathcal{S}_Q(P, g) := (\Pi, h_i).$$

Die so konstruierte Abbildung $\mathcal{S}_Q$ ist differenzierbar und erfüllt die gewünschte Bedingung. Sei nämlich $S \subset B$ ein Unterkeim und $(P, g) \in C^1_{\mathcal{b}}(\mathcal{U}; \mathcal{P}, \mathcal{g})$ ein Cozyklus über S.

Nach (a) ist auf $U_i' \cap U_j' \cap Q_1 \cap Q_2$ das Diagramm

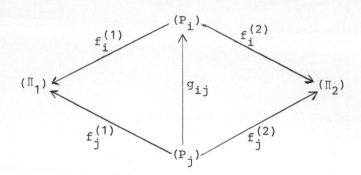

über S kommutativ, woraus folgt

$$f_j^{(1)} \circ (f_j^{(2)})^{-1} \equiv f_i^{(1)} \circ (f_i^{(2)})^{-1} \quad \text{mod } (\Pi_2) \text{ über S.}$$

Nach (b) gilt deshalb

$$f \equiv f_i^{(1)} \circ (f_i^{(2)})^{-1} \quad \text{mod } (\Pi_2) \text{ über S,}$$

d.h.

$$f: (\Pi_2) \longrightarrow (\Pi_1) \text{ über S.}$$

Mit (c) ergibt sich nun das über S kommutative Diagramm

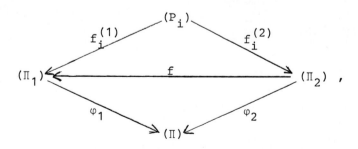

also $\varphi_1 \circ f_i^{(1)} \equiv \varphi_2 \circ f_i^{(2)}$ mod (P_i) über S.

Nach (d) ist deshalb

$$h_i \equiv \varphi_k \circ f_i^{(k)} \quad \text{mod } (P_i) \text{ über } S.$$

Insgesamt gilt jetzt mod (P_j) über S

$$h_i \circ g_{ij} \equiv \varphi_k \circ f^{(k)} \circ g_{ij} \equiv \varphi_k \circ f_i^{(k)} \circ (f_i^{(k)})^{-1} \circ f_j^{(k)}$$

$$\equiv \varphi_k \circ f_j^{(k)} \equiv h_j \ ,$$

d.h. aber, daß der Cozyklus (P,g) über S in (Π,h) zerfällt.

§ 14. Glättungssatz erster Art
=================================

14.1. Wir legen die in § 5 eingeführten Bezeichnungen und Begriffe zugrunde. Für eine adaptierte Überdeckung $\mathcal{U}$ von X sind in naheliegender Weise die über induktiv normierten $\mathbb{C}\{t\}$-Moduln affinen Räume

$$c^o_{\mathscr{E}}(\mathcal{U},\mathcal{G}) \subset c^o(\mathcal{U},\mathcal{G}),$$
$$c^1_{\mathscr{E}}(\mathcal{U};\mathcal{P},\mathcal{G}) \subset c^1(\mathcal{U};\mathcal{P},\mathcal{G})$$

definiert, vgl. (5.6).

Zweck des vorliegenden Paragraphen ist der Beweis des folgenden Glättungssatzes, der es erlaubt, einen Cozyklus von Deformationen durch einen cohomologen auf einer glatteren (= größeren) Überdeckung zu ersetzen.

14.2. Satz (Glättungssatz erster Art). Sei $\mathcal{W} \ll \mathcal{X} \ll \mathcal{U}$ eine Kette adaptierter Überdeckungen des eingespannten kompakten komplexen Raumes X. Dann gibt es eine differenzierbare Abbildung

$$\Omega: c^1_{\mathscr{E}}(\mathcal{X};\mathcal{P},\mathcal{G}) \longrightarrow c^1_{\mathscr{E}}(\mathcal{U};\mathcal{P},\mathcal{G}) \times c^o_{\mathscr{E}}(\mathcal{W},\mathcal{G})$$

mit folgenden Eigenschaften: Ist $S \subset B$ ein Unterkeim, $(P,g) \in c^1_{\mathscr{E}}(\mathcal{X};\mathcal{P},\mathcal{G})$ ein Cozyklus über S und

$$(\Pi,G;h) := \Omega(P,g),$$

so ist (Π,G) ein Cozyklus über S und bzgl. $\mathcal{W}$ gilt

$$h: (P,g) \longrightarrow (\Pi,G) \text{ über S.}$$

Beweis. Wir wählen adaptierte Überdeckungen $\mathcal{U}^\nu = (U^\nu_i, E^\nu_i)$ und $\mathcal{W}^\nu = (W^\nu_i, F^\nu_i)$, $1 \le \nu \le 5$ mit

$$\mathcal{U}^\nu \gg \mathcal{U}^{\nu+1} \gg \mathcal{X} \gg \mathcal{W}^\nu \gg \mathcal{W}^{\nu+1}$$

und

$$\mathcal{U}^5 = \mathcal{U} \quad , \quad \mathcal{W}^5 = \mathcal{W} \; .$$

Für $(P,g) \in C^1_{\mathcal{b}}(\mathcal{W}; \mathcal{P}, \mathcal{G})$ konstruieren wir jetzt $\Omega(P,g)$ in mehreren Schritten.

a) <u>Transport auf die Karte</u> α.

Sei ein $\alpha \in I$ fest gewählt. Für $i,j \in I$ definieren wir offene Teilmengen von D_α wie folgt:

$$R^\nu_{\alpha,i} := u_{\alpha i}(E^\nu_{i\alpha} \cap F^\nu_i),$$

$$R^\nu_{\alpha,ij} := u_{\alpha j}(E^\nu_{j\alpha} \cap u_{ji}(E^\nu_{i\alpha} \cap F^\nu_{ij})).$$

Für diese Mengen gilt:

$$\Phi^{-1}_\alpha(R^\nu_{\alpha,i}) = U^\nu_\alpha \cap W^\nu_i,$$

$$\Phi^{-1}(R^\nu_{\alpha,ij}) = U^\nu_\alpha \cap (W^\nu_i \cap W^\nu_j).$$

Da $M^o_{\alpha i}[-1]P^o_i(u_{i\alpha}) = P^o_\alpha M^o_{\alpha i}$ nach (5.4.c), können wir definieren

$$P_i[\alpha] := M^o_{\alpha i}[-1]P_i(u_{i\alpha})(M^o_{\alpha i})^{-1} \in \Gamma_{\mathcal{b}}(R^1_{\alpha,i}, \mathcal{P}_\alpha).$$

Es gilt

$$g_{ij}(\alpha) := u_{\alpha i}(g_{ij}u_{ij})u_{j\alpha} \in \Gamma_{\mathcal{b}}(R^1_{\alpha,ij}, \mathcal{G}).$$

Auf dieses Element wenden wir die Automorphismenprojektion

$$\pi(P_j[\alpha]) : \Gamma_{\mathcal{b}}(R^1_{\alpha,ij}, \mathcal{G}) \longrightarrow \Gamma_{\mathcal{b}}(R^2_{\alpha,i} \cap R^2_{\alpha,j}, \mathcal{G})$$

aus Corollar (12.7) an und erhalten

$$g_{ij}[\alpha] := \pi(P_j[\alpha])(g_{ij}(\alpha)).$$

Mit der Bezeichnung $\mathcal{R}_\alpha^\nu := (R_{\alpha,i}^\nu)_{i\in I}$ gilt nun

$$(P_i[\alpha],g_{ij}[\alpha]) \in C_{\mathcal{E}}^1(\mathcal{R}_\alpha^2;\mathcal{P}_\alpha,\mathcal{G}).$$

Behauptung. War (P,g) ein Cozyklus über S, so ist auch $(P[\alpha],g[\alpha])$ ein Cozyklus über S.

Beweis hierfür. Zunächst ist klar, daß jedes $P_i[\alpha]$ ein Komplex über S ist. Durch Komposition der Pfeile

$$(P_j[\alpha]) \xrightarrow{u_{j\alpha}} (P_j) \xrightarrow{g_{ij}u_{ij}} (P_i) \xrightarrow{u_{\alpha i}} (P_i[\alpha]) \text{ über S}$$

erhält man

$$g_{ij}[\alpha]: (P_j[\alpha]) \longrightarrow (P_i[\alpha]) \text{ über S,}$$

wobei die Kongruenz

$$g_{ij}[\alpha] \equiv g_{ij}(\alpha) \mod (P_j[\alpha]) \text{ über S}$$

benutzt wurde. Weiter gilt wegen

$$(g_{ij}u_{ij})(g_{jk}u_{jk}) \equiv (g_{ik}u_{ik}) \mod (P_k) \text{ über S,}$$

daß

$$g_{ij}[\alpha]g_{jk}[\alpha] \equiv g_{ij}(\alpha)g_{jk}(\alpha)$$

$$= (u_{\alpha i}g_{ij}u_{ij}u_{j\alpha})(u_{\alpha j}g_{jk}u_{jk}u_{k\alpha})$$

$$= u_{\alpha i}(g_{ij}u_{ij})(g_{jk}u_{jk})u_{k\alpha} \equiv u_{\alpha i}(g_{ik}u_{ik})u_{k\alpha}$$

$$= g_{ik}(\alpha) \equiv g_{ik}[\alpha] \mod (P_k[\alpha]) \text{ über S.}$$

Damit ist die Behauptung bewiesen.

b) <u>Zerfällung und Rückrechnung</u>.

Das Theorem B (13.6) liefert eine Abbildung

$$\vartheta_\alpha : \; C^1_{\mathscr{E}}(\mathscr{R}^2_\alpha; \mathscr{P}_\alpha, \mathscr{G}) \longrightarrow \Gamma_{\mathscr{E}}(E^3_\alpha, \mathscr{P}_\alpha) \times C^0_{\mathscr{E}}(\mathscr{R}^3_\alpha, \mathscr{G}).$$

Wir setzen

$$(\Pi_\alpha, \eta^\alpha_i) \; := \; \vartheta_\alpha (P_i[\alpha], g_{ij}[\alpha]),$$

$$h_\alpha \; := \; \eta^\alpha_\alpha \in \Gamma_{\mathscr{E}}(F^3_\alpha, \mathscr{G}).$$

Jetzt muß noch die Cokette $(G_{\alpha\beta}) \in C^1_{\mathscr{E}}(\mathscr{U}, \mathscr{G})$ konstruiert werden. Dazu führen wir die offenen Steinschen Teilmengen

$$R^\nu_{\alpha\beta,i} \; := \; u_{\alpha\beta}(E^\nu_{\beta\alpha} \cap u_{\beta i}(E^\nu_{i\alpha} \cap E^\nu_{i\beta} \cap F^\nu_i))$$

von D_α ein und setzen $\mathscr{R}^\nu_{\alpha\beta} := (R^\nu_{\alpha\beta,i})_{i \in I}$.

Für diese Mengen gilt

$$\Phi^{-1}_\alpha (R^\nu_{\alpha\beta,i}) \; = \; U^\nu_\alpha \cap U^\nu_\beta \cap W^\nu_i.$$

Die Definition von $R^\nu_{\alpha\beta,i}$ ist so getroffen worden, daß

$$f_{\alpha\beta,i} \; := \; (\eta^\alpha_i u_{\alpha i})(\eta^\beta_i u_{\beta i})^{-1} u_{\beta\alpha} \in \Gamma_{\mathscr{E}}(R^4_{\alpha\beta,i}, \mathscr{G}).$$

Auf $f_{\alpha\beta} := (f_{\alpha\beta,i})$ wenden wir nun die Automorphismenprojektion

$$\pi(\Pi_\beta(u_{\beta\alpha})) : \; C^0_{\mathscr{E}}(\mathscr{R}^4_{\alpha\beta}, \mathscr{G}) \longrightarrow \Gamma_{\mathscr{E}}(E^5_{\alpha\beta}, \mathscr{G})$$

aus Corollar (12.7) an und setzen

$$G_{\alpha\beta} \; := \; \pi(\Pi_\beta(u_{\beta\alpha})) f_{\alpha\beta}.$$

Behauptung. Mit

$$\Omega(P_i, g_{ij}) := (\Pi_\alpha, G_{\alpha\beta}; h_\alpha)$$

gelten die Behauptungen des Glättungssatzes.

Beweis hierfür. Setzen wir voraus, daß (P,g) ein Cozyklus über S ist!

1. Wir zeigen zunächst, daß dann $(\Pi_\alpha, G_{\alpha\beta})$ ein Cozyklus über S ist.

i) Aus Theorem B, angewandt auf den Cozyklus $(P[\alpha], g[\alpha])$ folgt, daß Π_α ein Komplex über S ist.

ii) Es gilt

$$(P_i) \xrightarrow{u_{\alpha i}} (P_i[\alpha]) \xrightarrow{n_i^\alpha} (\Pi_\alpha) \text{ über S,}$$

also

$$(\Pi_\beta(u_{\beta\alpha})) \xrightarrow{u_{\beta\alpha}} (\Pi_\beta) \xrightarrow{(n_i^\beta u_{\beta i})^{-1}} (P_i) \xrightarrow{n_i^\alpha u_{\alpha i}} (\Pi_\alpha) \text{ über S,}$$

d.h. $f_{\alpha\beta,i}: (\Pi_\beta(u_{\beta\alpha})) \longrightarrow (\Pi_\alpha)$ über S. Man rechnet leicht nach, daß

$$f_{\alpha\beta,i} \equiv f_{\alpha\beta,j} \quad \text{mod } (\Pi_\beta(u_{\beta\alpha})) \text{ über S}$$

auf dem gemeinsamen Definitionsbereich, woraus folgt

$$G_{\alpha\beta} \equiv f_{\alpha\beta,i} \quad \text{mod } (\Pi_\beta(u_{\beta\alpha})) \text{ über S.}$$

Daraus folgt

$$G_{\alpha\beta} u_{\alpha\beta}: (\Pi_\beta) \longrightarrow (\Pi_\alpha) \text{ über S.}$$

iii) Es gilt die Cozyklenrelation

$$(G_{\alpha\beta}u_{\alpha\beta})(G_{\beta\gamma}u_{\beta\gamma}) \equiv (\eta_i^\alpha u_{\alpha i})(\eta_i^\beta u_{\beta i})^{-1}(\eta_i^\beta u_{\beta i})(\eta_i^\gamma u_{\gamma i})^{-1}$$

$$= (\eta_i^\alpha u_{\alpha i})(\eta_i^\gamma u_{\gamma i})^{-1} \equiv G_{\alpha\gamma}u_{\alpha\gamma} \quad \mathrm{mod}\ (\Pi_\gamma)\ \text{über } S.$$

2. Wir zeigen jetzt, daß

$$(h_\alpha): (P_\alpha, g_{\alpha\beta}) \longrightarrow (\Pi_\alpha, G_{\alpha\beta})\ \text{über } S.$$

Aus Theorem B folgt das über S kommutative Diagramm

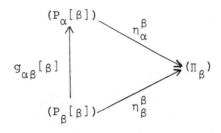

Wegen $P_\beta = P_\beta[\beta]$ und $h_\beta = \eta_\beta^\beta$ folgt daraus das über S kommutative Diagramm

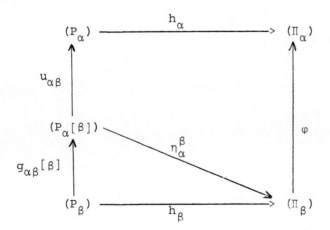

wobei

$$\varphi := h_\alpha u_{\alpha\beta} (\eta_\alpha^\beta)^{-1} = (\eta_\alpha^\alpha u_{\alpha\alpha})(\eta_\alpha^\beta u_{\beta\alpha})^{-1}$$

$$\equiv G_{\alpha\beta} u_{\alpha\beta} \mod (\Pi_\beta) \text{ über } S.$$

Nun ist

$$u_{\alpha\beta} g_{\alpha\beta} [\beta] \equiv u_{\alpha\beta} g_{\alpha\beta} (\beta) = u_{\alpha\beta} (u_{\beta\alpha} g_{\alpha\beta} u_{\alpha\beta})$$

$$\equiv g_{\alpha\beta} u_{\alpha\beta} \mod (P_\beta) \text{ über } S.$$

Daraus folgt die Behauptung.

Kapitel III. Konvergenzbeweis

In diesem Kapitel konstruieren wir eine verselle Deformation
eines gegebenen kompakten komplexen Raumes. Nach Schlessinger
gibt es eine formale verselle Deformation. Diese wird Schritt
für Schritt so abgeändert, daß eine echte (= konvergente) verselle Deformation entsteht. Bei der Fortsetzung der Konstruktion
um eine Ordnung benutzen wir die Grauertsche Divisions- und
Erweiterungstheorie sowie die konkrete Darstellung der Hindernisse, wie sie in § 7 entwickelt worden ist. Die Hindernisse
werden mit Hilfe des Überschußlemmas aus § 16 abgeschätzt. Um
den Erweiterungsprozeß unbegrenzt wiederholen zu können, ist
ein komplizierter Glättungsmechanismus notwendig, der in den
§§ 18 und 19 bereitgestellt wird. In § 20 schließlich wird die
Konstruktion mittels vollständiger Induktion zu Ende geführt.

Wir nehmen die Gelegenheit wahr, um auf einen Fehler in der
Arbeit [7] hinzuweisen. Auf p. 340 wird fälschlicherweise be-
hauptet, daß $y_{ijk} := \bar{g}_{ij}^{e_o} \bar{g}_{ik}^{e_o} - \bar{g}_{ik}^{e_o} \equiv 0 \bmod \mathbf{m}^{e_o+1}$. Dies stimmt
nur modulo $\mathcal{J}_{e_o}$. Der Fehler kann am besten dadurch behoben werden,
daß der Beweis längs der im folgenden dargelegten Linien durchgeführt wird. Im Falle der Deformationen von Vektorraumbündel
ergeben sich noch erhebliche Vereinfachungen.

§ 15. Vorbereitungen
=====================

15.1. Sei X ein für das ganze Kapitel fest gewählter kompakter komplexer Raum. Wir setzen

$$m := \dim_{\mathbb{C}} \text{Def}(X, p_1),$$

wobei $p_1 := (0, \mathbb{C}[\varepsilon])$ der Doppelpunkt ist, vgl. (6.14) und (6.15). Mit B bezeichnen wir den Raumkeim des $\mathbb{C}^m$ in seinem Nullpunkt und mit $B_e, e \in \mathbb{N}$, die Unterkeime, die durch $\mathbb{C}\{t_1, \ldots, t_m\}/\mathit{m}^{e+1}$ definiert sind.

15.2. Nach Schlessinger [23] gibt es eine formale verselle Deformation von X:

$$
\begin{array}{ccccccccc}
X & \longrightarrow & X_1' & \longrightarrow & X_2' & \longrightarrow & \cdots & \longrightarrow & X_e' & \longrightarrow & X_{e+1}' & \longrightarrow & \cdots \\
\downarrow & & \downarrow & & \downarrow & & & & \downarrow & & \downarrow & & \\
P_o & \hookrightarrow & S_1' & \hookrightarrow & S_2' & \hookrightarrow & \cdots & \hookrightarrow & S_e' & \hookrightarrow & S_{e+1}' & \hookrightarrow & \cdots
\end{array}
$$

Wir dürfen voraussetzen, daß S_e' ein Unterkeim von B_e ist und $S_e' \hookrightarrow S_{e+1}'$ von der kanonischen Immersion $B_e \hookrightarrow B_{e+1}$ induziert wird.

Wir bezeichnen mit $\mathcal{J}_e' \subset \mathcal{H}_e := \mathbb{C}\{t_1, \ldots, t_m\}/\mathit{m}^{e+1}$ das Ideal von S_e'. Es gibt ein $a \in \mathbb{N}$, so daß $\mathcal{J}_e'$ für alle $e \geq a$ dasselbe reduzierende System $\Lambda \subset \mathbb{N}^m$ hat, vgl. [7], § 3.10. Von nun an sei

$$X_a := X_a' , \quad S_a := S_a' \quad \text{und} \quad \mathcal{J}_a := \mathcal{J}_a'.$$

15.3. Satz. Sei $e \geq a$, $S_e \subset B_e$ ein Unterkeim mit reduzierendem System Λ und $X_e \longrightarrow S_e$ eine e-verselle Deformation von X. Dann gibt es einen Unterkeim $S_{e+1} \subset B_{e+1}$ mit $S_{e+1} \cap B_e = S_e$ und eine (e+1)-verselle Deformation $X_{e+1} \longrightarrow S_{e+1}$ von X. Der Unterkeim S_{e+1} hat wieder das reduzierende System Λ.

Beweis. Sei $X_e' \longrightarrow S_e'$ die e-verselle Deformation aus der Schlessinger-Familie. Es gibt einen Isomorphismus

Der Isomorphismus $\alpha: S_e \longrightarrow S'_e$ wird durch einen Automorphismus
$\alpha: B \longrightarrow B$ induziert. Sei $X'_{e+1} \longrightarrow S'_{e+1}$ die (e+1)-verselle
Deformation aus der Schlessinger-Familie. Sei nun $S_{e+1} \subset B$ derjenige Unterkeim, der durch α isomorph auf S'_{e+1} abgebildet wird.
Offenbar gilt

$$S_{e+1} \subset B_{e+1} \quad \text{und} \quad S_{e+1} \cap B_e = S_e.$$

Sei $\beta: S_{e+1} \longrightarrow S'_{e+1}$ der durch α induzierte Isomorphismus. Wir
definieren X_{e+1} als Faserprodukt durch das folgende cartesische
Diagramm

$$
\begin{array}{ccc}
X_{e+1} & \longrightarrow & X'_{e+1} \\
\downarrow & & \downarrow \\
S_{e+1} & \xrightarrow{\ \beta\ } & S'_{e+1}
\end{array}
$$

Die Deformation $X_{e+1} \longrightarrow S_{e+1}$ ist (e+1)-versell. Es bleibt zu
zeigen, daß S_{e+1} das reduzierende System Λ hat. Wir verwenden
die Bezeichnungen von [7], Kap. I. Seien I_{e+1} bzw. I'_{e+1} die
zu S_{e+1} bzw. S'_{e+1} gehörigen Halbgruppenideale und $\tilde{\Lambda}$ das reduzierende System von S_{e+1}. Wegen $S_{e+1} \cap B_e = S_e$ folgt $\tilde{\Lambda} \supset \Lambda$, also gilt
$I_{e+1} \supset I'_{e+1}$.
Da aber

$$\text{Card}(\mathcal{G}_{e+1} \setminus I_{e+1}) = \dim \mathcal{O}_{S_{e+1}} = \dim \mathcal{O}_{S'_{e+1}} = \text{Card}(\mathcal{G}_{e+1} \setminus I'_{e+1}),$$

folgt $I_{e+1} = I'_{e+1}$, d.h. $\tilde{\Lambda} = \Lambda$.

15.4. Bezeichnungen. Sei $(\omega_\lambda^a)_{\lambda \in \Lambda}$ die Weierstraßfamilie des Ideals
$\mathcal{J}_a$, vgl. (15.2). Sei $\Lambda_o \subset \Lambda$ so gewählt, daß $(\omega_\lambda^a)_{\lambda \in \Lambda_o}$ ein minimales
Erzeugendensystem von $\mathcal{J}_a$ ist. Es gibt Polynome $c_{\mu\lambda} \in \mathbb{C}[t_1, \ldots, t_m]$
vom Grad $\leq a$, so daß

$$\omega_\mu^a = \sum_{\lambda \in \Lambda_o} c_{\mu\lambda} \omega_\lambda^a \quad \text{mod } \mathfrak{m}^{a+1} \text{ für alle } \mu \in \Lambda,$$

$$c_{\mu\lambda} = \delta_{\mu\lambda} \quad \text{für alle } \lambda, \mu \in \Lambda_o.$$

Die Elemente $\beta_\mu^o \in \mathbb{C}\{t_1,\ldots,t_m\}$ seien definiert durch die Gleichung

$$\sum_{\lambda \in \Lambda_o} c_{\mu\lambda} \omega_\lambda^a = t^\mu + \beta_\mu^o \, , \quad \mu \in \Lambda.$$

Es gilt ord $\beta_\mu^o > \mu$. Deshalb gibt es ein $\rho_o \in \mathbb{R}_{++}^m$, $\rho_o \leq (1,\ldots,1)$, so daß

$$\|\beta_\mu^o\|_{\rho_o} \leq \frac{\rho_o^\mu}{8|\Lambda|} \quad \text{für alle } \mu \in \Lambda.$$

Wir setzen noch

$$K_* := \sup_{\mu \in \Lambda} \sum_{\lambda \in \Lambda_o} \|c_{\mu\lambda}\|_1 \, , \quad 1 = (1,\ldots,1)$$

und definieren für $\rho = (\rho_1,\ldots,\rho_m) \in \mathbb{R}_{++}^m$

$$\gamma(\rho) := \min(\rho_1,\ldots,\rho_m).$$

<u>15.5. Satz.</u> Mit den obigen Bezeichnungen gilt: Sei $e \geq a$ und $\mathcal{J}_e \subset \mathcal{H}_e$ eine Erweiterung von $\mathcal{J}_a$ mit reduzierendem System Λ und Weierstraßfamilie $(\omega_\lambda^e)_{\lambda \in \Lambda}$. Für einen Multiradius $\rho = \theta\rho_o$, $0 < \theta \leq 1$, gelte

$$\|\omega_\lambda^e - \omega_\lambda^a\|_\rho \leq \frac{\gamma(\rho)^a}{8K_*|\Lambda|} \quad \text{für alle } \lambda \in \Lambda_o.$$

<u>Behauptung:</u> a) Es gilt

$$\|\omega_\lambda^e - \omega_\lambda^a\|_\rho \leq \frac{\rho^\lambda}{2|\Lambda|} \quad \text{für alle } \lambda \in \Lambda.$$

b) Ist E ein Banachraum und $f \in E\{t\}$, so gilt

$$\|\text{Red}_{\mathcal{J}_e}(f)\|_\rho \leq 2\|f\|_\rho.$$

Zum Beweis vgl. [7], § 3.11.

15.6. Wir legen jetzt wieder eine analytische Einspannung des kompakten komplexen Raumes X wie in (5.4) zugrunde und beschreiben Deformationen von X durch Cozyklen $x = (P_i, g_{ij}) \in c^1(\mathcal{U}; \mathcal{P}, \mathcal{G})$, vgl. (5.7). Zu einem solchen Cozyklus x über $S \subset B$ gibt es nach Definition Matrizen $M = (M_{ij}) \in c^1(\mathcal{U}, \mathcal{M})$ und $C = (C_{ijk}) \in c^2(\mathcal{U}, \mathcal{L})$ mit $M(O) = M^O, C(O) = C^O$ und

$$M_{ji}[-1]P_i(g_{ij}u_{ij}) = P_j M_{ji} \quad \text{über } S,$$

$$(g_{ij}u_{ij})(g_{jk}u_{jk}) = g_{ik}u_{ik} + P_{k,1}C_{kji} \quad \text{über } S,$$

vgl. (7.3). Wir nennen $\mathcal{E} = (P_i, g_{ij}, M_{ij}, C_{ijk})$ eine <u>in Gleichung gesetzte Deformation</u>.

Seien $x = (P_i, g_{ij})$, $y = (\Pi_i, G_{ij}) \in c^1(\mathcal{U}; \mathcal{P}, \mathcal{G})$ zwei Cozyklen über S, die vermöge $h = (h_i) \in c^O(\mathcal{U}, \mathcal{G})$ cohomolog sind. Dann gibt es nach Definition Matrizen $M = (M_i) \in c^O(\mathcal{U}, \mathcal{M})$ und $C = (C_{ij}) \in c^1(\mathcal{U}, \mathcal{L})$ mit $M(O) = 1$, $C(O) = O$ und

$$M_i[-1]\Pi_i(h_i) = P_i M_i \quad \text{über } S,$$

$$(G_{ij}u_{ij})h_j = h_i(g_{ij}u_{ij}) + P_{j,1}C_{ji} \quad \text{über } S,$$

vgl. (5.9). Wir nennen $\widetilde{h} := (h_i, M_i, C_{ij})$ eine <u>in Gleichung gesetzte Transformation</u> zwischen x und y und schreiben dafür $\widetilde{h}: x \longrightarrow y$ über S.

Wir führen noch folgende Abkürzungen ein:

$$c^1(\mathcal{U}) := c^1_{\mathcal{E}}(\mathcal{U}; \mathcal{P}, \mathcal{G}),$$

$$c^O(\mathcal{U}) := c^O_{\mathcal{E}}(\mathcal{U}; \mathcal{G}).$$

Mit $c^1_*(\mathcal{U})$ bezeichnen wir die Menge aller Elemente

$$(P_i, g_{ij}, M_{ji}, C_{kji}) \in c^1_{\mathcal{E}}(\mathcal{U}; \mathcal{P}, \mathcal{G}) \times c^1_{\mathcal{E}}(\mathcal{U}, \mathcal{M}) \times c^2_{\mathcal{E}}(\mathcal{U}, \mathcal{L})$$

mit

$$M_{ji}(O) = M^O_{ji} \quad \text{und} \quad C_{kji}(O) = C^O_{kji}.$$

Mit $C_*^0(\mathcal{U})$ bezeichnen wir die Menge aller Elemente

$$(h_i, M_i, c_{ij}) \in c_{\mathcal{b}}^0(\mathcal{U}, \mathcal{G}) \times c_{\mathcal{b}}^0(\mathcal{U}, \mathcal{M}) \times c_{\mathcal{b}}^1(\mathcal{U}, \mathcal{L})$$

mit

$$M_i(0) = 1 \text{ und } c_{ij}(0) = 0.$$

<u>15.7.</u> Wir wählen eine Kette adaptierter Überdeckungen

$$\mathcal{M} << \mathcal{W} << \widetilde{\mathcal{W}} << \widetilde{\mathcal{U}} << \mathcal{U}$$

bzgl. der in (15.6) zugrunde gelegten Einspannung von X. Die Deformation $X_a \longrightarrow S_a$ aus (15.2) kann repräsentiert werden durch einen a-reduzierten Cozyklus $\bar{x}^a \in c^1(\mathcal{U})$ über S_a. Wir setzen

$$x^a := \bar{x}^a | \mathcal{W} \in c^1(\mathcal{W}).$$

Wir benutzen jetzt den Glättungsoperator Ω aus Satz (14.2) und setzen

$$(y^a, h^a) := \text{Red}_{\mathcal{J}_a} \Omega(x^a) \in c^1(\mathcal{W}) \times c^0(\mathcal{M}).$$

Dann ist y^a ein a-reduzierter Cozyklus über $\mathcal{J}_a$, der ebenfalls die Deformation $X_a \longrightarrow S_a$ repräsentiert und es gilt

$$h^a: x^a \longrightarrow y^a \text{ über } S_a \text{ bzgl. } \mathcal{W}.$$

Die Cokette h^a definiert einen Isomorphismus zwischen den $\bar{x}^a$ bzw. y^a zugeordneten Deformationen. Derselbe Isomorphismus kann auch repräsentiert werden durch eine Cokette $H^a \in c^0(\widetilde{\mathcal{U}})$. Es gibt ein Element

$$(M^a, c^a) \in c_{\mathcal{b}}^0(\widetilde{\mathcal{W}}, \mathcal{M}) \times c_{\mathcal{b}}^1(\widetilde{\mathcal{W}}, \mathcal{L})$$

mit

$$M^a(0) = 1 \text{ und } C^a(0) = 0,$$

das die Transformation $H^a : \bar{x}^a \longrightarrow y^a$ in Gleichung setzt. Wir definieren

$$\tilde{h}^a := (H^a, M^a, C^a) \in C_*^o(\tilde{\mathcal{W}}).$$

Die hiermit festgelegten Größen $x^a \in C^1(\mathcal{W})$, $y^a \in C^1(\mathcal{V})$, $h^a \in C^o(\mathcal{W})$, $\tilde{h}^a \in C_*^o(\tilde{\mathcal{W}})$ sowie die Weierstraßfamilie $(\omega_\lambda^a)_{\lambda \in \Lambda}$ aus (15.4) verwenden wir als Induktionsbasis für die kommende Konstruktion.

§ 16. Reduktions- und Überschußlemma

Dieser Paragraph dient der Bereitstellung zweier allgemeiner technischer Hilfsmittel, nämlich des Reduktions- und Überschußlemmas. Wir beziehen uns auf die Bezeichnungen von (15.4).

16.1. Satz (Reduktionslemma). Seien E und F Banachräume, $\Phi: E\{t\}^O \longrightarrow F\{t\}$ eine differenzierbare Abbildung und $x^a \in E\{t\}^O$. Dann gibt es Konstanten $K \geq 1$ und $\sigma_o > O$, sowie eine Funktion $\theta_o:]O,\sigma_o] \longrightarrow]O,1]$, so daß folgende Aussage gilt.

Voraussetzung: Sei $e \geq a$, $\mathcal{J}_e \subset \mathcal{H}_e$ eine Erweiterung von $\mathcal{J}_a$ mit Weierstraßfamilie $(\omega_\lambda^e)_{\lambda \in \Lambda}$ und $x^e \in E\{t\}^O$. Mit der Konstanten $O < \sigma \leq \sigma_o$ und dem Multiradius $\rho = \theta\rho_o$, $O < \theta \leq \theta_o(\sigma)$, mögen die folgenden Abschätzungen gelten:

$$\| \omega_\lambda^e - \omega_\lambda^a \|_\rho \leq \sigma\gamma(\rho)^a \quad \text{für alle } \lambda \in \Lambda_o ,$$

$$\| x^e - x^a \|_\rho \leq \sigma\gamma(\rho)^a .$$

Behauptung: Es gilt die Abschätzung

$$\| \text{Red}_{\mathcal{J}_e} \Phi(x^e) - \text{Red}_{\mathcal{J}_a} \Phi(x^a) \|_\rho \leq K\sigma\gamma(\rho)^a .$$

Beweis. Weil Φ differenzierbar ist, gibt es positive Konstanten $\sigma_o \leq (8K_* |\Lambda|)^{-1}$, $\theta^* \leq 1$ und C_o, so daß

$$\| D\Phi(x^a + y) \|_\rho \leq C_o$$

für alle $\rho \leq \theta^* \rho_o$ und alle $y \in E\{t\}^O$ mit $\| y \|_\rho \leq \sigma_o$. Wir können $\Phi(x^a)$ darstellen als

$$\Phi(x^a) = \sum_{\lambda \in \Lambda_o} q_\lambda \omega_\lambda^a + \text{Red}_{\mathcal{J}_a} \Phi(x^a) + r$$

mit $r \equiv O \mod \mathcal{m}^{a+1}$. Wir dürfen annehmen, daß θ^* so klein gewählt worden war, daß

$$\sup_{\lambda \in \Lambda_o} \| q_\lambda \|_{\theta^* \rho_o} =: C_1 < \infty .$$

Da r von der Ordnung a+1 verschwindet, gibt es zu jedem $0 < \sigma \leq \sigma_o$ ein $\theta_o(\sigma) \leq \theta^*$, so daß für alle $\rho = \theta\rho_o$, $0 < \theta \leq \theta_o(\sigma)$, gilt

$$\| r \|_\rho \leq \sigma\gamma(\rho)^a.$$

Wir setzen $K := 2(1+C_o+C_1|\Lambda_o|)$ und zeigen, daß mit den so kon-struierten σ_o, θ_o und K die Aussage des Satzes gilt.

Wir können schreiben

$$\Phi(x^e) = \sum_{\lambda \in \Lambda_o} q_\lambda \omega_\lambda^e + \sum_{\lambda \in \Lambda_o} q_\lambda(\omega_\lambda^a - \omega_\lambda^e)$$

$$+ \operatorname{Red}_{\mathcal{Y}_a} \Phi(x^a) + r + \Phi(x^e) - \Phi(x^a) \; ,$$

woraus folgt

$$z := \operatorname{Red}_{\mathcal{Y}_e} \Phi(x^e) - \operatorname{Red}_{\mathcal{Y}_a} \Phi(x^a)$$

$$= \operatorname{Red}_{\mathcal{Y}_e} \left(\sum_{\lambda \in \Lambda_o} q_\lambda(\omega_\lambda^a - \omega_\lambda^e) + r + \Phi(x^e) - \Phi(x^a) \right).$$

Da $\operatorname{Red}_{\mathcal{Y}_e}$ nach (15.5) die $\| \; \|_\rho$-Norm höchstens verdoppelt, ergibt sich wegen $\| \Phi(x^e) - \Phi(x^a) \|_\rho \leq C_o \| x^e - x^a \|_\rho$

$$\| z \|_\rho \leq 2(|\Lambda_o|C_1 + 1 + C_o)\sigma\gamma(\rho)^a = K\sigma\gamma(\rho)^a.$$

Damit ist das Reduktionslemma bewiesen.

16.2. Definition. Seien E und F Banachräume. Ein linearer Morphismus $\Phi: E\{t\}^o \longrightarrow F\{t\}$ heißt <u>strikt homogen</u>, wenn es eine stetige lineare Abbildung $\varphi: E \longrightarrow F$ gibt, so daß für jedes $\sum a_\nu t^\nu \in E\{t\}^o$ gilt:

$$\Phi(\textstyle\sum a_\nu t^\nu) = \sum \varphi(a_\nu) t^\nu.$$

16.3. Satz (Überschußlemma). Seien E und F Banachräume, $\Psi: E\{t\}^o \longrightarrow F\{t\}$ eine differenzierbare Abbildung mit strikt homogenem Differential $D\Psi(0)$ und $x^a \in E\{t\}^0$ ein a-reduziertes Element mit $\mathrm{Red}_{\mathcal{J}_a} \Psi(x^a) = 0$. Dann gibt es Konstanten $K \geq 1$ und $\sigma_0 > 0$, sowie eine Funktion $\theta_0 :]0,\sigma_0] \longrightarrow]0,1]$, so daß folgende Aussage gilt.

<u>Voraussetzung:</u> Sei $e \geq a$, $\mathcal{J}_e \subset \mathcal{H}_e$ eine Erweiterung von $\mathcal{J}_a$ mit Weierstraßfamilie $(\omega_\lambda^e)_{\lambda \in \Lambda}$ und $\mathcal{J}_{e+1} \subset \mathcal{H}_{e+1}$ eine Erweiterung von $\mathcal{J}_e$ mit Weierstraßfamilie $(\omega_\lambda^{e+1})_{\lambda \in \Lambda}$. Außerdem sei $x^e \in E\{t\}^0$ ein e-reduziertes Element mit $\mathrm{Red}_{\mathcal{J}_e} \Psi(x^e) = 0$. Mit den Konstanten $0 < \sigma,\tau \leq \sigma_0$ und dem Multiradius $\rho = \theta\rho_0$, $0 < \theta \leq \theta_0(\sigma)$ mögen folgende Abschätzungen gelten:

$$\| \omega_\lambda^e - \omega_\lambda^a \|_\rho \leq \sigma\gamma(\rho)^a \quad \text{für alle } \lambda \in \Lambda_0 \ ,$$

$$\| x^e - x^a \|_\rho \leq \sigma\gamma(\rho)^a \ ,$$

$$\| \omega_\lambda^{e+1} - \omega_\lambda^e \|_\rho \leq \tau\gamma(\rho)^a \quad \text{für alle } \lambda \in \Lambda_0 \ .$$

<u>Behauptung:</u> Es gilt die Abschätzung

$$\| \mathrm{Red}_{\mathcal{J}_{e+1}} \Psi(x^e) \|_\rho \leq K(\sigma^2+\tau)\gamma(\rho)^a .$$

<u>Beweis.</u> Weil Ψ differenzierbar ist, gibt es positive Konstanten $\sigma_0 \leq (8K_*|\Lambda|)^{-1}$, $\theta^* \leq 1$ und C_0, so daß

$$\| D^2\Psi(y) \|_\rho \leq C_0$$

für alle $\rho \leq \theta^*\rho_0$ und alle $y \in E\{t\}^0$ mit $\| y \|_\rho \leq 2\sigma_0$.

Da $\mathrm{Red}_{\mathcal{J}_a} \Psi(x^a) = 0$, gilt

$$(*) \quad \Psi(x^a) = \sum_{\lambda \in \Lambda_0} q_\lambda \omega_\lambda^a + r$$

mit $r \equiv 0 \mod \mathcal{m}^{a+1}$. Wir dürfen annehmen, daß θ^* so klein gewählt worden war, daß

$$\sup_{\lambda \in \Lambda_0} \| q_\lambda \|_{\theta^*\rho_0} =: C_1 < \infty \ .$$

Da r von der Ordnung a+1 und $q_\lambda - q_\lambda(0)$ bzw. x^a von der Ordnung
1 verschwinden, gibt es zu jedem $0 < \sigma \le \sigma_o$ ein $\theta_o(\sigma) \le \theta^*$, so
daß für alle $\rho = \theta\rho_o$, $0 < \theta \le \theta_o(\sigma)$, gilt

$$\|r\|_\rho \le \sigma^2\gamma(\rho)^a ,$$

$$\|q_\lambda - q_\lambda(0)\|_\rho \le \sigma, \|x^a\|_\rho \le \sigma.$$

Wir setzen

$$K := 2 \max(1+|\Lambda_o|+2C_o, |\Lambda_o|C_1)$$

und zeigen, daß mit den so konstruierten σ_o, θ_o und K die Aussage
des Satzes gilt. Nach einer verallgemeinerten Form des Mittelwert-
satzes [21],V.4.Th.2,Cor.2, können wir schreiben

$$(**) \quad \Psi(x^e) = \Psi(x^a) + D\Psi(0)(x^e-x^a) + R,$$

wobei

$$\|R\|_\rho \le C_o \max(\|x^e\|_\rho, \|x^a\|_\rho)\|x^e - x^a\|_\rho$$

$$\le 2C_o\sigma^2\gamma(\rho)^a,$$

da C_o eine obere Schranke für die Norm von $D^2\Psi$ auf dem von
$0, x^a, x^e$ aufgespannten Simplex ist. Setzt man (*) in (**) ein,
so erhält man

$$\Psi(x^e) = \sum_{\lambda\in\Lambda_o} q_\lambda\omega_\lambda^a + r + D\Psi(0)(x^e-x^a) + R$$

$$= \sum_{\lambda\in\Lambda_o} q_\lambda(0)(\omega_\lambda^a-\omega_\lambda^e)$$

$$+ \sum_{\lambda\in\Lambda_o} (q_\lambda-q_\lambda(0))(\omega_\lambda^a-\omega_\lambda^e)$$

$$+ \sum_{\lambda \in \Lambda_o} q_\lambda (\omega_\lambda^e - \omega_\lambda^{e+1}) + \sum_{\lambda \in \Lambda_o} q_\lambda \omega_\lambda^{e+1}$$

$$+ D\Psi(0)(x^e - x^a) + r + R.$$

Da $\mathrm{Red}_{\mathcal{J}_{e+1}} \Psi(x^e) \equiv 0 \bmod \mathcal{m}^{e+1}$ und die Elemente $q_\lambda(0)(\omega_\lambda^a - \omega_\lambda^e)$ sowie

$D\Psi(0)(x^e - x^a)$ e-reduziert sind, folgt

$$\| \mathrm{Red}_{\mathcal{J}_{e+1}} \Psi(x^e) \|_\rho \leq 2 \| \sum (q_\lambda - q_\lambda(0))(\omega_\lambda^a - \omega_\lambda^e) \|_\rho$$

$$+ \| 2\sum q_\lambda(\omega_\lambda^e - \omega_\lambda^{e+1}) \|_\rho + 2 \| r + R \|_\rho$$

$$\leq 2 |\Lambda_o| \sigma^2 \gamma(\rho)^a + 2 |\Lambda_o| C_1 \tau \gamma(\rho)^a + 2(1 + 2C_o) \sigma^2 \gamma(\rho)^a$$

$$\leq K(\sigma^2 + \tau) \gamma(\rho)^a.$$

§ 17. Fortsetzung um eine Ordnung

In diesem Paragraphen benutzen wir die Kette

$$\widetilde{\mathcal{U}} \ll \mathcal{U}''' \ll \mathcal{U}'' \ll \mathcal{U}' \ll \mathcal{U}$$

adaptierter Überdeckungen von X.

17.1. Lemma (In Gleichung Setzen von Deformationen).
Es gibt eine differenzierbare Abbildung

$$\Phi: \; C^1(\mathcal{U}) \longrightarrow C^1_{\mathcal{t}}(\mathcal{U}',\mathcal{M}) \times C^2_{\mathcal{t}}(\mathcal{U}',\mathcal{L})$$

mit folgender Eigenschaft: Ist $S \subset B$ ein Unterkeim und
$y = (P_i, g_{ij}) \in C^1(\mathcal{U})$ ein Cozyklus über S und

$$\Phi(y) =: (M_{ij}, C_{ijk}),$$

so gilt

i) $M_{ij}(0) = M^o_{ij}$, $C_{ijk}(0) = C^o_{ijk}$

ii) (M_{ij}, C_{ijk}) setzt die Deformation y

in Gleichung, d.h. über S gelten die Gleichungen

$$M_{ji}[-1]P_i(g_{ij}u_{ij}) = P_jM_{ji} ,$$

$$(g_{ij}u_{ij})(g_{jk}u_{jk}) = g_{ik}u_{ik} + P_{k,1}C_{kji} .$$

Dies Lemma kann einfach auf das Aufspaltungslemma (11.3) zurück-
geführt werden.

17.2. Mit dem a-reduzierten Cozyklus über S_a

$$y^a = (P^a_i, g^a_{ij}) \in C^1(\mathcal{U})$$

aus (15.7) definieren wir jetzt

$$(M^a_{ij}, C^a_{ijk}) := \text{Red}_{\mathcal{J}_a} \Phi(y^a)$$

sowie

$$\Xi^a_i := P^a_{i1} P^a_{i2} ,$$

$$H^a_{ij}(u_{ij}) := P^a_{i1}(g^a_{ij} u_{ij}) - P^a_{j1} M^a_{ji,1} ,$$

$$Z^a_{ijk}(u_{ik}) := (g^a_{ij} u_{ij})(g^a_{jk} u_{jk}) - g^a_{ik} u_{ik} - P^a_{k,1} C^a_{kji} .$$

Sei

$$(\Xi^a, H^a, Z^a) = \sum_{\mu \in \Lambda} Q_\mu \omega^a_\mu + r$$

die Devisionsdarstellung bzgl. der Weierstraßfamilie $(\omega^a_\mu)_{\mu \in \Lambda}$. Es gilt $r \equiv 0 \mod \mathit{m}^{a+1}$.

<u>17.3.</u> Zur Berechnung und Abschätzung der Hindernisse bei Erweiterungen (7.3) definieren wir eine Abbildung

$$\Psi: C^1_*(\mathcal{U}') \longrightarrow C^o_{\mathcal{C}}(\mathcal{U}'', \mathcal{O}^{\ell_2}_{\mathbb{C}^N \times B}) \times TC^1_{\mathcal{C}}(\mathcal{U}'', \mathcal{F}) \times TC^2_{\mathcal{C}}(\mathcal{U}'', \mathcal{G})$$

auf folgende Weise: Für

$$\mathit{y} = (P_i, g_{ij}, M_{ij}, C_{ijk}) \in C^1_*(\mathcal{U}')$$

setzen wir $\Psi(\mathit{y}) := (\Xi_i, H_{ij}, Z_{ijk})$ mit

$$\Xi_i := P_{i,1} P_{i,2} ,$$

$$H_{ij}(u_{ij}) := P_{i,1}(g_{ij} u_{ij}) - P_{j,1} M_{ji,1} ,$$

$$Z_{ijk}(u_{ik}) := (g_{ij} u_{ij})(g_{jk} u_{jk}) - g_{ik} u_{ik} - P_{k,1} C_{kji} .$$

Diese Abbildung hat folgende Eigenschaften:

a) Ψ ist differenzierbar
b) Ψ hat im Punkt $\mathit{y}^o = (P^o_i, \text{id}, M^o_{ij}, C^o_{ijk})$

strikt homogenes Differential, vgl. (16.2), (10.6), (10.8).

c)   Ist $S \subset B$ ein Unterkeim und $\eta \in C^1_*(\mathcal{U}')$ eine in Gleichung gesetzte Deformation über S, so gilt $\Psi(\eta) = 0$ über S.

17.4. Wir betrachten jetzt folgende Situation, vgl. (15.4):
Sei $e \geq a$ und $\mathcal{J}_e$ eine Erweiterung von $\mathcal{J}_a$ mit Weierstraßfamilie
$(\omega^e_\lambda)_{\lambda \in \Lambda}$. Mit Δ_{e+1} werde die Menge der Λ-reduzierten Indizes
$\nu \in \mathbb{N}^m$ mit $|\nu| = e+1$ bezeichnet (vgl. [7], § 1.12). Für eine
Matrix $b = (b_{\lambda\nu})_{\lambda \in \Lambda_o}, \nu \in \Delta_{e+1}$ komplexer Zahlen setzen wir

$$\omega^{e+1}_\lambda(b) := \omega^e_\lambda + \sum_{\nu \in \Delta_{e+1}} b_{\lambda\nu} t^\nu \quad \text{für } \lambda \in \Lambda_o ,$$

$$\mathcal{J}_{e+1}(b) := \sum_{\lambda \in \Lambda_o} \mathcal{H}_{e+1} \omega^{e+1}_\lambda(b).$$

Sei $\eta \in C^1_*(\mathcal{U}')$ eine in Gleichung gesetzte Deformation über $\mathcal{J}_e$.
Dann gilt

$$\text{Red}_{\mathcal{J}_{e+1}} \Psi(\eta) = \sum_{\nu \in \Delta_{e+1}} (\xi^b_{i\nu}, \eta^b_{ij,\nu}, \zeta^b_{ijk,\nu}) t^\nu$$

mit

$$(\xi^b_{i\nu}, \eta^b_{ij,\nu}, \zeta^b_{ijk,\nu})|X \in E^2(\mathcal{U}'').$$

Nach der Grauertschen Erweiterungstheorie (vgl. [7], Satz 3.12)
gilt

$$(\xi^o_\nu, \eta^o_\nu, \zeta^o_\nu) = (\xi^b_\nu, \eta^b_\nu, \zeta^b_\nu) + \sum_{\mu \in \Lambda} \sum_{\lambda \in \Lambda_o} Q_\mu(0) c_{\mu\lambda}(0) b_{\lambda\nu}.$$

Bemerkung. Nach Satz (7.6) läßt sich die durch η gegebene Deformation genau dann zu einer Deformation über $\mathcal{J}_{e+1}(b)$ fortsetzen,
wenn für alle $\nu \in \Lambda_{e+1}$ die Elemente $(\xi^b_\nu, \eta^b_\nu, \zeta^b_\nu)|X$ im Bild von
$d^1: E^1(\mathcal{U}'') \longrightarrow E^2(\mathcal{U}'')$ liegen.

17.5. Wir definieren eine lineare Abbildung

$$T: \mathbb{C}^{\Lambda_o} \times E^1(\mathfrak{U}") \longrightarrow E^2(\mathfrak{U}"),$$

durch die Formel

$$T((b_\lambda),(\pi,\gamma)) := d^1(\pi,\gamma) + \sum_{\mu\in\Lambda} \sum_{\lambda\in\Lambda_o} \varrho_\mu(0)c_{\mu\lambda}(0)b_\lambda.$$

(Die Definition von T hängt nur von (ω_λ^a) und y^a ab.) Man erinnere sich daran (6.10), daß

$$E^1(\mathfrak{U}") = C^o(\mathfrak{U}", \mathcal{O}_X^{\ell_1}) \times C^1(\mathfrak{U}", \mathcal{O}_X^N).$$

Wir setzen

$$\widetilde{E}^1(\mathfrak{U}") := C^o(\mathfrak{U}", \mathcal{O}_{\mathbb{C}^N}^{\ell_1}) \times C^1(\mathfrak{U}", \mathcal{O}_{\mathbb{C}^N}^N).$$

Man hat eine natürliche Beschränkungsabbildung $\widetilde{E}^1(\mathfrak{U}") \longrightarrow E^1(\mathfrak{U}")$. Es sei

$$\widetilde{T}: \mathbb{C}^{\Lambda_o} \times \widetilde{E}^1(\mathfrak{U}") \longrightarrow E^2(\mathfrak{U}")$$

die Komposition von T mit dieser Beschränkung.

17.6. Satz. Mit den obigen Bezeichnungen gilt:

a)   Im $\widetilde{T}$ ist abgeschlossen.

b)   Ist $\mathfrak{y} = (y^e, M^e, c^e) \in C_*^1(\mathfrak{U}')$ eine Deformation über $\mathcal{J}_e$ mit $y^e \equiv y^a \mod \mathfrak{m}^{a+1}$ und ist $(\xi_\nu^o, \eta_\nu^o, \zeta_\nu^o)$ wie in (17.4) definiert, so gilt

$$(\xi_\nu^o, \eta_\nu^o, \zeta_\nu^o)|X \in \text{Im } T \quad \text{für alle } \nu \in \Delta_{e+1}.$$

Beweis. a) Dies folgt aus (7.10), da in einem Fréchetraum die Summe aus einem endlich-dimensionalen und einem abgeschlossenen Unterraum wieder abgeschlossen ist.

b) Dies folgt unmittelbar aus (15.3) und (17.4).

Bemerkung. Aus der Abgeschlossenheit von Im $\widetilde{T}$ folgt: Es gibt eine Konstante $\widetilde{K} \geq 1$ mit folgender Eigenschaft: Zu jedem $(\xi,\eta,\zeta) \in$ Im T existiert ein Urbild $((b_\lambda),(\pi,\gamma)) \in \mathbb{C}^{\Lambda_o} \times \widetilde{E}^1(\mathcal{U}'')$ mit

$$\max(|b_\lambda|,\|(\pi,\gamma)\|_{\mathcal{U}'''}) \leq \widetilde{K}\|(\xi,\eta,\zeta)\|_{\mathcal{U}''}.$$

17.7. Lemma. Es gibt Konstanten $K \geq 1$, $\sigma_o > 0$ und eine Funktion $\theta_o:]0,\sigma_o] \longrightarrow]0,1]$, so daß folgende Aussage gilt.

Voraussetzung: Sei $e \geq a$, $\mathcal{J}_e \subset \mathcal{H}_e$ eine Erweiterung von $\mathcal{J}_a$ mit Weierstraßfamilie $(\omega_\lambda^e)_{\lambda\in\Lambda}$ und $y^e = (P_i^e,g_{ij}^e) \in C^1(\mathcal{U})$ ein Cozyklus über $\mathcal{J}_e$ mit $y^e \equiv y^a \bmod \mathcal{m}^{a+1}$.
Außerdem sei $\mathcal{J}_{e+1} \subset \mathcal{H}_{e+1}$ eine Erweiterung von $\mathcal{J}_e$ mit Weierstraßfamilie $(\omega_\lambda^{e+1})_{\lambda\in\Lambda}$ und es seien Elemente

$$\pi_{i,1} = \sum_{\nu\in\Delta_{e+1}} \pi_{i,1}^{(\nu)}t^\nu, \quad (\pi_{i,1}^{(\nu)}) \in C^o(\mathcal{U}''',\mathcal{O}_{\mathbb{C}^N}^{\ell_1})$$

gegeben, derart daß $(P_{i,1}^e+\pi_{i,1})$ Unterräume von $E_i'''\times B$ definieren, die platt über $\mathcal{J}_{e+1}$ liegen. Mit den Konstanten $0 < \sigma,\tau \leq \sigma_o$ und dem Multiradius $\rho = \theta\rho_o$, $0 < \theta \leq \theta_o(\sigma)$ mögen die folgenden Abschätzungen gelten

$$\|\omega_\lambda^e - \omega_\lambda^a\|_\rho \leq \sigma\gamma(\rho)^a \text{ für alle } \lambda \in \Lambda_o,$$

$$\|P^e - P^a\|_{\mathcal{U}_\rho} \leq \sigma\gamma(\rho)^a,$$

$$\|\omega_\lambda^{e+1} - \omega_\lambda^e\|_\rho \leq \tau\gamma(\rho)^a,$$

$$\|\pi_1\|_{\mathcal{U}'''_\rho} \leq \tau\gamma(\rho)^a.$$

Behauptung: Es existieren für $n = 2,\dots,N$ Elemente

$$\pi_{i,n} = \sum_{\nu\in\Delta_{e+1}} \pi_{i,n}^{(\nu)}t^\nu, \quad (\pi_{i,n}^{(\nu)}) \in C^o(\widetilde{\mathcal{U}},\mathcal{O}_{\mathbb{C}^N}^{\ell_n})$$

mit folgenden Eigenschaften:

i) Setzt man $P_{i,n}^{e+1} := P_{i,n}^e + \pi_{i,n}$ für $n = 1,\ldots,N$,

so ist $P_i^{e+1} = (P_{i,n}^{e+1})$ ein Komplex über $\mathcal{J}_{e+1}$

ii) $\|\pi_{i,n}\|_{\widetilde{\mathcal{U}}\rho} \leq K(\sigma^2+\tau)\gamma(\rho)^a$.

__Beweis.__ Mit der Garbe

$$\mathcal{G} = \prod_{n=1}^{N-1} M(\ell_{n-1} \times \ell_{n+1}, \mathcal{O}_{\mathbb{C}^N \times B}), \quad \ell_o := 1$$

definieren wir die differenzierbare Abbildung

$$\Psi: C_b^o(\mathcal{U},\mathcal{P}) \longrightarrow C_b^o(\mathcal{U},\mathcal{G})$$

$$(P_i) \longmapsto (P_{i,1}P_{i,2}, P_{i,2}P_{i,3}, \ldots, P_{i,N-1}P_{i,N})$$

und wenden auf sie das Überschußlemma (16.3) an. Seien (K',σ_o,θ_o) die dort gelieferten Abschätzungsdaten. Für

$$q_{in} := \mathrm{Red}_{\mathcal{J}_{e+1}} (P_{in}^e P_{in+1}^e)$$

gilt dann

$$\|q_{in}\|_{\mathcal{U}\rho} \leq K'(\sigma^2+\tau)\gamma(\rho)^a.$$

Die Bedingung (i) ist für die gesuchten Größen π_{in} genau dann erfüllt, wenn

$$\mathrm{Red}_{\mathcal{J}_{e+1}} (P_{in}^e+\pi_{in})(P_{in+1}^e+\pi_{in+1}) = 0,$$

d.h.

$$P_{i1}^o \pi_{i2} = -q_{i1} - \pi_{i1}P_{i2}^o,$$

$$P_{in}^o \pi_{in+1} + \pi_{in}P_{in+1}^o = -q_{in} \quad \text{für } n = 2,\ldots,N.$$

Da die rechten Seiten bzgl. $\mathcal{U}'''$ durch $K^*(\sigma^2+\tau)\gamma(\rho)^a$ für eine Konstante K^* abgeschätzt sind, folgt die Existenz der π_{in} mit den gewünschten Abschätzungen aus dem Banachschen Satz über offene Abbildungen.

17.8. Satz (Fortsetzung um eine Ordnung).

Es gibt Konstanten $K_1 \geq 1$ und $\sigma_1 > 0$, sowie eine Funktion $\theta_1 :]0,\sigma_1] \longrightarrow]0,1]$, so daß folgende Aussage gilt.

Voraussetzung: Sei $e \geq a$, $\mathcal{J}_e \subset \mathcal{H}_e$ eine Erweiterung von $\mathcal{J}_a$ mit Weierstraßfamilie $(\omega_\lambda^e)_{\lambda \in \Lambda}$ und $y^e \in C^1(\mathcal{U})$ ein e-reduzierter Cozyklus über $\mathcal{J}_e$ mit $y^e \equiv y^a \bmod \mathfrak{m}^{a+1}$.
Mit der Konstanten $0 < \sigma \leq \sigma_1$ und dem Multiradius $\rho = \theta\rho_o$, $0 < \theta \leq \theta_1(\sigma)$, gelte

$$\|\omega_\lambda^e - \omega_\lambda^a\|_\rho \leq \sigma\gamma(\rho)^a \text{ für alle } \lambda \in \Lambda_o,$$
$$\|y^e - y^a\|_{\mathcal{U}_\rho} \leq \sigma\gamma(\rho)^a.$$

Behauptung: Es gibt eine Erweiterung $\mathcal{J}_{e+1} \subset \mathcal{H}_{e+1}$ von $\mathcal{J}_e$ mit Weierstraßfamilie $(\omega_\lambda^{e+1})_{\lambda \in \Lambda}$ und einen (e+1)-reduzierten Cozyklus $\tilde{y}^{e+1} \in C^1(\tilde{\mathcal{U}})$ über $\mathcal{J}_{e+1}$ mit folgenden Eigenschaften:

i) $\tilde{y}^{e+1} \equiv y^e \bmod \mathfrak{m}^{e+1}$,

ii) $\|\omega_\lambda^{e+1} - \omega_\lambda^e\|_\rho \leq K_1\sigma^2\gamma(\rho)^a$ für alle $\lambda \in \Lambda_o$,

iii) $\|\tilde{y}^{e+1} - y^e\|_{\tilde{\mathcal{U}}_\rho} \leq K_1\sigma^2\gamma(\rho)^a$.

Beweis von (17.8). Auf die Abbildung Φ von Lemma (17.1) wenden wir das Reduktionslemma (16.1) an. Seien (K',σ_o',θ_o') die zugehörigen Abschätzungsdaten. Auf die Abbildung Ψ von (17.3) wenden wir das Überschußlemma (16.3) an und nennen die zugehörigen Abschätzungsdaten $(K'',\sigma_o'',\theta_o'')$. Sei K die Konstante aus (17.6) und seien (K,σ_o,θ_o) die Abschätzungsdaten aus Lemma (17.7). Wir zeigen nun, daß für

$$K_1 := K(1+KK''K'^2),$$
$$\sigma_1 := \min(\sigma_o', \frac{\sigma_o'}{K'}, \frac{1}{KK''K'^2}, \sigma_o)$$
$$\theta_1(\sigma) := \min(\theta_o'(\sigma), \theta_o''(K'\sigma), \theta_o(\sigma))$$

die Aussage des Satzes gilt.

Sei

$$(M^e, C^e) := \text{Red}_{\mathcal{J}_e} \Phi(y^e).$$

Dann ist $\mathcal{y} := (y^e, M^e, C^e)$ eine e-reduzierte, in Gleichung gesetzte Deformation über $\mathcal{J}_e$ und es gilt die Abschätzung

$$\max(\|M^e - M^a\|_{\mathcal{U}'\rho}, \|C^e - C^a\|_{\mathcal{U}'\rho}) \leq K' \sigma \gamma(\rho)^a$$

Nach dem Überschußlemma, angewandt auf den Fall

$$\mathcal{J}_{e+1}(0) := \sum_{\lambda \in \Lambda_o} \mathcal{H}_{e+1} \omega_\lambda^e$$

gilt

$$\text{Red}_{\mathcal{J}_{e+1}}(0)^\Psi(\mathcal{y}) = \sum_{\nu \in \Delta_{e+1}} (\overset{o}{\xi}_\nu, \overset{o}{\eta}_\nu, \overset{o}{\zeta}_\nu) t^\nu$$

mit

$$\|\overset{o}{\xi}_\nu, \overset{o}{\eta}_\nu, \overset{o}{\zeta}_\nu\|_{\mathcal{U}''\rho} \leq K'' K'^2 \sigma^2 \gamma(\rho)^a.$$

Wir können also nach (17.6) Elemente

$$((b_{\lambda\nu}), (\pi_1^{(\nu)}, \gamma^{(\nu)})) \in \mathbb{C}^{\Lambda_o} \times E^1(\mathcal{U}''), \ \nu \in \Delta_{e+1}$$

finden mit $\widetilde{T}((b_{\lambda\nu}), (\pi_1^{(\nu)}, \gamma^{(\nu)})) = (\overset{o}{\xi}_\nu, \overset{o}{\eta}_\nu, \overset{o}{\zeta}_\nu)$

und

$$\max(|b_{\lambda\nu}|, \|\pi_{i1}\|_{\mathcal{U}'''\rho}, \|\gamma_{ij}\|_{\mathcal{U}'''\rho}) \leq KK'' K'^2 \sigma^2 \gamma(\rho)^a,$$

wobei

$$\pi_{i1} := \sum_{\nu \in \Delta_{e+1}} \pi_{i1}^{(\nu)} t^\nu, \quad \gamma_{ij} := \sum_{\nu \in \Delta_{e+1}} \gamma_{ij}^{(\nu)} t^\nu.$$

Wir setzen jetzt

$$\omega_\lambda^{e+1} := \omega_\lambda^e + \sum_{\nu \in \Delta_{e+1}} b_{\lambda\nu} t^\nu \quad \text{für alle } \lambda \in \Lambda_o,$$

$$g_{ij}^{e+1} := g_{ij}^e + \gamma_{ij},$$

$$P_{i1}^{e+1} := P_{i1}^e + \pi_{i1}.$$

Das Lemma (17.7) liefert noch Größen π_{in}, $n = 2,\ldots,N$, die den Abschätzungen

$$\| \pi_{in} \|_{\widetilde{\mathcal{U}}_\rho} \leq K(\sigma^2 + KK''K'^2\sigma^2)\gamma(\rho)^a \leq K_1\sigma^2\gamma(\rho)^a$$

genügen. Setzt man noch

$$P_{in}^{e+1} := P_{in}^e + \pi_{in}, \quad n = 2,\ldots,N,$$

und $P_i^{e+1} := (P_{in}^{e+1})_{1 \leq n \leq N}$, so ist $y^{e+1} := (P_i^{e+1}, g_{ij}^{e+1})$ die gesuchte Deformation über

$$\mathcal{J}_{e+1} := \sum_{\lambda \in \Lambda_o} \mathcal{H}_{e+1}\omega_\lambda^{e+1}.$$

§ 18. Rückrechnung
==================

18.1. Wir führen zunächst eine allgemeine Betrachtung durch. Seien $\mathcal{W} \ll \mathcal{U}$ adaptierte Überdeckungen von X und sei S ein Unterkeim von B mit Ideal $\mathcal{J}$. Weiter seien x = (P,g) $\in$ C^1($\mathcal{W}$) und y = (Π,G) $\in$ C^1($\mathcal{U}$) Cozyklen über S, sowie h = (H,M,C) $\in$ C$^0_*$($\mathcal{U}$) eine Cokette mit

$$h: x \longrightarrow y \text{ über S bzgl. } \mathcal{W}.$$

Dann gelten über S die Gleichungen

$$M_i[-1]\Pi_i(H_i) = P_i M_i \; ,$$

$$(G_{ij}u_{ij})H_j = H_i(g_{ij}u_{ij}) + P_{j,1}C_{ji}$$

$$= H_i(g_{ij}u_{ij}) + \Pi_{j,1}(H_j)M_{j,1}^{-1}C_{ji}.$$

Setzt man daher

$$(*) \quad \begin{cases} \overline{P}_i := M_i[-1]\Pi_i(H_i)M_i^{-1} \; , \\ \\ \overline{g}_{ij} := H_i^{-1}((G_{ij}u_{ij})H_j - \Pi_{j1}(H_j)M_{j,1}^{-1}C_{ji})u_{ji} \; , \end{cases}$$

so gilt $(\overline{P}_i, \overline{g}_{ij}) = (P_i, g_{ij})$ über S.

Wir definieren jetzt allgemein für y $\in$ C^1($\mathcal{U}$) und h $\in$ C$^0_*$($\mathcal{U}$)

$$h \, \square \, y := (\overline{P}, \overline{g}),$$

wobei $(\overline{P}, \overline{g})$ durch die Formel (*) gegeben ist. Die Abbildung

$$C^0_*(\mathcal{U}) \times C^1(\mathcal{U}) \longrightarrow C^1(\mathcal{W})$$
$$(h,y) \longmapsto h \, \square \, y$$

hat folgende Eigenschaften:

i) Die Abbildung ist differenzierbar; ihr Differential im Punkt

$$(h,y) = ((id,1,0),(P^o,id))$$

ist strikt homogen.

ii) Ist $\eta \in TC^1(\mathcal{U})$ ein Element mit $\eta \equiv 0 \mod \mathit{m}^{e+1}$, so gilt

$$h \square (y+\eta) \equiv (h \square y) + \eta \mod \mathit{m}^{e+2}.$$

iii) Ist $y \in C^1(\mathcal{U})$ ein Cozyklus über S und $h \in C^o_*(\mathcal{U})$ beliebig, so ist $h \square y$ ebenfalls ein Cozyklus über S.

__18.2. Satz.__ Gegeben sei eine Kette

$$\mathcal{w} << \tilde{\mathcal{w}} << \tilde{\mathcal{u}} << \mathcal{u}$$

adaptierter Überdeckungen von X. Dann gibt es Konstanten $K_2 \geq 1$ und $\sigma_2 > 0$, sowie eine Funktion $\theta_2:]0,\sigma_2] \longrightarrow]0,1]$, so daß folgende Aussage gilt.

__Voraussetzung:__ Sei $e \geq a$, $\mathcal{J}_e \subset \mathcal{H}_e$ eine Erweiterung von $\mathcal{J}_a$ mit Weierstraßfamilie $(\omega^e_\lambda)_{\lambda \in \Lambda}$ und $\mathcal{J}_{e+1} \subset \mathcal{H}_{e+1}$ eine Erweiterung von $\mathcal{J}_e$ mit Weierstraßfamilie $(\omega^{e+1}_\lambda)_{\lambda \in \Lambda}$. Seien $x^e \in C^1(\mathcal{w})$ und $y^e \in C^1(\mathcal{U})$ e-reduzierte Cozyklen über $\mathcal{J}_e$ und $\tilde{y}^{e+1} \in C^1(\tilde{\mathcal{u}})$ ein (e+1)-reduzierter Cozyklus über $\mathcal{J}_{e+1}$ mit

$$x^e \equiv x^a \mod \mathit{m}^{a+1},$$
$$y^e \equiv y^a \mod \mathit{m}^{a+1},$$
$$\tilde{y}^{e+1} \equiv y^e \mod \mathit{m}^{e+1}.$$

Außerdem sei eine e-reduzierte Cokette $\tilde{h}^e \in C^o_*(\tilde{\mathcal{w}})$ mit

$$\tilde{h}^e \equiv \tilde{h}^a \mod \mathit{m}^{a+1}$$

und

$$\tilde{h}^e: x^e \longrightarrow y^e \text{ über } \mathcal{J}_e \text{ bzgl. } \mathcal{w}$$

gegeben.

Mit den Konstanten $0 < \sigma,\tau \leq \sigma_2$ und dem Multiradius $\rho = \theta\rho_o$,

$0 < \theta \leq \theta_2(\sigma)$, mögen die folgenden Abschätzungen gelten:

$$\| \omega^e - \omega_\lambda^a \|_\rho \leq \sigma\gamma(\rho)^a \quad \text{für alle } \lambda \in \Lambda_o,$$

$$\| x^e - x^a \|_{\mathcal{W}\rho} \leq \sigma\gamma(\rho)^a,$$

$$\| y^e - y^a \|_{\mathcal{U}\rho} \leq \sigma\gamma(\rho)^a,$$

$$\| \tilde{h}^e - \tilde{h}^a \|_{\tilde{\mathcal{W}}\rho} \leq \sigma\gamma(\rho)^a,$$

sowie

$$\| \omega_\lambda^{e+1} - \omega_\lambda^e \|_\rho \leq \tau\gamma(\rho)^a \quad \text{für alle } \lambda \in \Lambda_o,$$

$$\| \tilde{y}^{e+1} - y^e \|_{\tilde{\mathcal{U}}\rho} \leq \tau\gamma(\rho)^a.$$

<u>Behauptung:</u> Es gibt einen (e+1)-reduzierten Cozyklus $x^{e+1} \in C^1(\mathcal{W})$ über $\mathcal{J}_{e+1}$ mit

i) $\quad x^{e+1} \equiv x^e \mod \mathcal{m}^{e+1}$

ii) $\quad \tilde{h}^e : x^{e+1} \longrightarrow \tilde{y}^{e+1}$ über $\mathcal{J}_{e+1}$ bzgl. $\mathcal{W}$

iii) $\| x^{e+1} - x^e \|_{\mathcal{W}\rho} \leq K_2(\sigma^2+\tau)\gamma(\rho)^a$.

<u>Beweis.</u> Es gilt $\tilde{y}^{e+1} = y^e + \eta$, wobei η ein (e+1)-reduziertes Element mit $\eta \equiv 0 \mod \mathcal{m}^{e+1}$ ist. Wir definieren

$$x^{e+1} := \text{Red}_{\mathcal{J}_{e+1}} (\tilde{h}^e \,\square\, \tilde{y}^{e+1}) = \text{Red}_{\mathcal{J}_{e+1}} (\tilde{h}^e \,\square\, y^e) + \eta.$$

Damit sind (i) und (ii) erfüllt. Um die Abschätzung zu beweisen, definieren wir eine differenzierbare Abbildung

$$\Psi: C^o_*(\tilde{\mathcal{U}}) \times C^1(\mathcal{U}) \times C^1(\mathcal{W}) \longrightarrow TC^1(\mathcal{W})$$
$$(h,y,x) \longmapsto h \,\square\, y - x.$$

Diese Abbildung hat im ausgezeichneten Punkt strikt homogenes Differential und es gilt

$$\text{Red}_{\mathcal{J}_a} \Psi(\tilde{h}^a, y^a, x^a) = 0,$$

$$\text{Red}_{\mathcal{J}_e} \Psi(\tilde{h}^e, y^e, x^e) = 0.$$

Auf Ψ ist das Überschußlemma (16.3) anwendbar und liefert Abschätzungsgrößen (K, σ_o, θ_o). Wir setzen $K_2 := K + 1$, $\sigma_2 := \sigma_o$ und $\theta_2 := \theta_o$. Für

$$\xi := \text{Red}_{\mathcal{J}_{e+1}} \Psi(\tilde{h}^e, y^e, x^e) = \text{Red}_{\mathcal{J}_{e+1}}(\tilde{h}^e \, \square \, y^e) - x_e$$

gilt dann die Abschätzung

$$\| \xi \|_{\mathcal{W}_\rho} \leq K(\sigma^2 + \tau) \gamma(\rho)^a,$$

also

$$\| x^{e+1} - x^e \|_{\mathcal{W}_\rho} = \| \xi + \eta \|_{\mathcal{W}_\rho} \leq K(\sigma^2 + \tau)\gamma(\rho)^a + \tau \gamma(\rho)^a$$

$$\leq K_2(\sigma^2 + \tau)\gamma(\rho)^a.$$

§ 19. Glättungssätze
======================

19.1. In diesem Paragraphen verwenden wir die Kette

$$\mathcal{m} \ll \mathcal{v} \ll \tilde{\mathcal{v}} \ll \tilde{\mathcal{u}} \ll \mathcal{u}$$

adaptierter Überdeckungen von X.

Der Glättungssatz (14.2) liefert zusammen mit dem Reduktionslemma (16.1) unmittelbar den folgenden Satz.

19.2. Satz (Glättungssatz erster Art). Es gibt Konstanten $K_3 \geq 1$ und $\sigma_3 > 0$, sowie eine Funktion $\theta_3:]0,\sigma_3] \longrightarrow]0,1]$, so daß folgende Aussage gilt.

Voraussetzung: Sei $e \geq a$, $\mathcal{J}_e \subset \mathcal{H}_e$ eine Erweiterung von $\mathcal{J}_a$ mit Weierstraßfamilie $(\omega_\lambda^e)_{\lambda \in \Lambda}$. Sei $x^e \in C^1(\mathcal{v})$ ein e-reduzierter Cozyklus über $\mathcal{J}_e$ mit $x^e \equiv x^a \mod \mathcal{m}^{a+1}$. Mit der Konstanten $0 < \sigma \leq \sigma_3$ und dem Multiradius $\rho = \theta\rho_o$, $0 < \theta \leq \theta_3(\sigma)$ mögen die folgenden Abschätzungen gelten:

$$\|\omega^e - \omega_\lambda^a\|_\rho \leq \sigma\gamma(\rho)^a \text{ für alle } \lambda \in \Lambda_o,$$
$$\|x^e - x^a\|_{\mathcal{v}\rho} \leq \sigma\gamma(\rho)^a.$$

Behauptung: Setzt man

$$(y^e;h^e) := \text{Red}_{\mathcal{J}_e} \Omega(x^e) \in C^1(\mathcal{u}) \times C^o(\mathcal{m})$$

(dabei ist Ω der Glättungsoperator von 14.2), so ist y^e ein e-reduzierter Cozyklus über $\mathcal{J}_e$ mit $y^e \equiv y^a \mod \mathcal{m}^{a+1}$ und

$$h^e: x^e \longrightarrow y^e \text{ über } \mathcal{J}_e \text{ bzgl. } \mathcal{m}.$$

Es gelten die Abschätzungen

$$\|y^e - y^a\|_{\mathcal{u}\rho} \leq K_3\sigma\gamma(\rho)^a,$$
$$\|h^e - h^a\|_{\mathcal{m}\rho} \leq K_3\sigma\gamma(\rho)^a.$$

Wir formulieren jetzt einen Glättungssatz zweiter Art, der die Glättung der Transformationen $h^e: x^e \longrightarrow y^e$ betrifft.

19.3. Satz (Glättungssatz zweiter Art). Es gibt Konstanten $K_4 \geq 1$ und $\sigma_4 \geq 0$, sowie eine Funktion $\theta_4: \,]0,\sigma_4] \longrightarrow \,]0,1]$, so daß folgende Aussage gilt.

<u>Voraussetzung</u>: Sei $e > a$, $\mathcal{J}_e \subset \mathcal{H}_e$ eine Erweiterung von $\mathcal{J}_a$ mit Weierstraßfamilie $(\omega_\lambda^e)_{\lambda \in \Lambda}$ und seien $x^e \in C^1(\mathcal{W})$, $y^e \in C^1(\mathcal{U})$, $\tilde{y}^e \in C^1(\tilde{\mathcal{U}})$ e-reduzierte Cozyklen über $\mathcal{J}_e$ mit

$$x^e \equiv x^a \quad \mod m^{a+1}$$
$$y^e \equiv y^a \quad \mod m^{a+1}$$
$$y^e \equiv \tilde{y}^e \quad \mod m^e.$$

Außerdem seien eine e-reduzierte Cokette $h^e \in C^0(\mathcal{W})$ mit

$$h^e: x^e \longrightarrow y^e \quad \text{über } \mathcal{J}_e \text{ bzgl. } \mathcal{W}$$

und eine (e-1)-reduzierte Cokette $\tilde{h}^{e-1} \in C_*^0(\tilde{\mathcal{U}})$ mit

$$\tilde{h}^{e-1}: x^e \longrightarrow \tilde{y}^e \quad \text{über } \mathcal{J}_e \text{ bzgl. } \mathcal{U}$$

vorgegeben, so daß das Diagramm

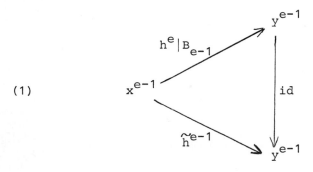

(1)

über $\mathcal{J}_{e-1} := \mathcal{J}_e | B_{e-1}$ kommutiert, wobei

$$x^{e-1} := x^e | B_{e-1}, \quad y^{e-1} := y^e | B_{e-1} = \tilde{y}^e | B_{e-1}.$$

Mit den Konstanten $0 < \sigma \leq \tilde{\sigma} \leq \sigma_4$ und dem Multiradius $\rho = \theta \rho_0$, $0 < \theta \leq \theta_4(\tilde{\sigma})$ mögen die folgenden Abschätzungen gelten:

$$\|\omega_\lambda^e - \omega_\lambda^a\|_\rho \leq \sigma\gamma(\rho)^a \quad \text{für alle } \lambda \in \Lambda_o,$$

$$\|x^e - x^a\|_{\mathcal{V}_\rho} \leq \sigma\gamma(\rho)^a,$$

$$\|y^e - y^a\|_{\mathcal{U}_\rho} \leq \sigma\gamma(\rho)^a,$$

$$\|\tilde{y}^e - y^a\|_{\tilde{\mathcal{U}}_\rho} \leq \sigma\gamma(\rho)^a,$$

$$\|h^e - h^a\|_{\mathcal{M}_\rho} \leq \sigma\gamma(\rho)^a$$

und

$$\|\tilde{h}^{e-1} - \tilde{h}^a\|_{\tilde{\mathcal{M}}_\rho} \leq \tilde{\sigma}\gamma(\rho)^a.$$

<u>Behauptung:</u> Es gibt eine e-reduzierte Cokette $\tilde{h}^e \in C_*^o(\tilde{\mathcal{M}})$ mit

i) $\tilde{h}^e \equiv \tilde{h}^{e-1} \mod \mathcal{M}^e$,

ii) $\tilde{h}^e : x^e \longrightarrow y^e$ über $\mathcal{J}_e$ bzgl. $\mathcal{V}$,

iii) Das Diagramm

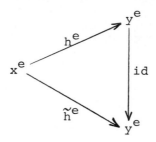

ist über $\mathcal{J}_e$ bzgl. $\mathcal{M}$ kommutativ

iv) $\|\tilde{h}^e - \tilde{h}^{e-1}\|_{\tilde{\mathcal{M}}_\rho} \leq K_4(\sigma+\tilde{\sigma}^2)\gamma(\rho)^a.$

<u>Beweis.</u> Die Konstruktion geht in mehreren Schritten vor sich. Wir wählen eine adaptierte Überdeckung $\mathcal{M}' \ll \mathcal{M}$.

<u>a) Hilfssatz.</u> Es gibt eine differenzierbare Abbildung

$$\Phi: C^o(\mathcal{M}) \times C^o(\mathcal{M}) \times C_{\mathcal{b}}^o(\mathcal{M},\mathcal{P}) \longrightarrow C_{\mathcal{b}}^o(\mathcal{M}',\mathcal{L})$$

mit folgender Eigenschaft:

Sei $S \subset B$ ein Unterkeim, $P \in C_{\mathcal{E}}^{o}(\mathcal{M},\mathcal{P})$ eine Kette von Komplexen über S und seien $h,H \in C^{o}(\mathcal{M})$ mit

$\qquad h \equiv H \bmod(P_1)$ über S.

Für $A := \Phi(h,H,P)$ gilt dann $A(O) = O$ und

$\qquad h = H + P_1 A$ über S bzgl. $\mathcal{M}'$.

Die Existenz von Φ folgt einfach aus dem Aufspaltungslemma (11.3).

b) Auf die Abbildung Φ wenden wir das Reduktionslemma (16.1) zum Anfangspunkt (h^a, H^a, P^a) an, dabei ist $\tilde{h}^a = (H^a, M^a, c^a)$ und $x^a = (P^a, g^a)$. Seien (K', σ', θ') die zugehörigen Abschätzungsdaten. Wir setzen

$\qquad A^a := \mathrm{Red}_{\mathcal{Y}_a} \Phi(h^a, H^a, P^a)$,

$\qquad A^{e-1} := \mathrm{Red}_{\mathcal{Y}_{e-1}} \Phi(h^{e-1}, H^{e-1}, P^{e-1})$.

Wegen (1) gilt

$\qquad h^{e-1} \equiv H^{e-1} \bmod(P_1^{e-1})$ über $\mathcal{Y}_{e-1}$,

also nach dem Hilfssatz (a)

(2) $\quad h^{e-1} = H^{e-1} + P_1^{e-1} A^{e-1}$ über $\mathcal{Y}_{e-1}$.

c) Sei Ψ die wie folgt definierte differenzierbare Abbildung

$\Psi: C^{o}(\mathcal{M}) \times C^{o}(\mathcal{M}) \times C_{\mathcal{E}}^{o}(\mathcal{M},\mathcal{P}) \times C_{\mathcal{E}}^{o}(\mathcal{M}',\mathcal{L})^{o} \longrightarrow TC^{o}(\mathcal{M}',\mathcal{J})$,

$\qquad \Psi(h,H,P,A) = h - H - P_1 A$.

Es gilt $\mathrm{Red}_{\mathcal{Y}_a} \Psi(h^a, H^a, P^a, A^a) = O$, also können wir auf Ψ das Überschußlemma (16.3) anwenden und erhalten Abschätzungsdaten $(K'', \sigma'', \theta'')$.

Wir setzen

$$\sigma_4 := \min(\sigma', \frac{\sigma''}{K'}),$$

$$\theta_4(\tilde{\sigma}) := \min(\theta'(\tilde{\sigma}), \theta''(K'\tilde{\sigma})).$$

Aus den vorausgesetzten Abschätzungen folgt dann

$$\|A^{e-1} - A^a\|_{\mathfrak{M}'\rho} \leq K'\tilde{\sigma}\gamma(\rho)^a.$$

Wegen (2) ist $\mathrm{Red}_{\mathcal{J}_{e-1}} \Psi(h^{e-1}, H^{e-1}, P^{e-1}, A^{e-1}) = 0$. Da
$\|\omega_\lambda^e - \omega_\lambda^{e-1}\|_\rho \leq \sigma\gamma(\rho)^a$ für alle $\lambda \in \Lambda_o$, ergibt sich aus dem Überschußlemma für

$$w := \mathrm{Red}_{\mathcal{J}_e} \Psi(h^{e-1}, H^{e-1}, P^{e-1}, A^{e-1}) = h^{e-1} - H^{e-1} - P_1^{e-1}A^{e-1}$$

die Abschätzung

$$\|w\|_{\mathfrak{M}'\rho} \leq K''((K'\tilde{\sigma})^2 + \sigma)\gamma(\rho)^a.$$

Sei $w' := h^e - h^{e-1}$. Es gilt $\|w'\|_{\mathfrak{M}\rho} \leq \sigma\gamma(\rho)^a$. Da $A^{e-1}(0) = 0$,
gilt $P_1^{e-1}A^{e-1} = P_1^e A^{e-1}$ über $\mathcal{J}_e$, also

$$h^e = H^{e-1} + (w - w') + P_1^e A^{e-1} \text{ über } \mathcal{J}_e \text{ bzgl. } \mathfrak{M}',$$

d.h.

(3) $\quad h^e \equiv H^{e-1} + v \bmod(P_1^e)$ über $\mathcal{J}_e$

wobei

$$v := w - w',$$

$$\|v\|_{\mathfrak{M}'\rho} \leq \|w\|_{\mathfrak{M}'\rho} + \|w'\|_{\mathfrak{M}'\rho} \leq K^*(\tilde{\sigma}^2 + \sigma)\gamma(\rho)^a,$$

mit der Konstanten $K^* := 2K''K'^2$. Nach (3) ist das Diagramm über $\mathcal{J}_e$ bzgl. $\mathcal{M}'$ kommutativ.

d) Hilfssatz. Es gibt eine von $\rho = \theta\rho_o$ unabhängige Konstante $\tilde{K} \geq 1$ mit folgender Eigenschaft:

Sind $\tilde{y}^e, y^e \in C^1(\tilde{\mathcal{U}})$ e-reduzierte Cozyklen über $\mathcal{J}_e$ mit $\tilde{y}^e \equiv y^e \bmod \mathit{m}^e$ und $\mathrm{id} + v \in C^0(\mathcal{M}')$ eine e-reduzierte Cokette mit $v \equiv 0 \bmod \mathit{m}^e$ und

$$\mathrm{id} + v: \tilde{y}^e \longrightarrow y^e \text{ über } \mathcal{J}_e \text{ bzgl. } \mathcal{M}',$$

so existiert eine e-reduzierte Cokette

$$\mathit{w} := (\mathrm{id}+\bar{v},\ 1+\mu,\ c) \in C^0_*(\tilde{\mathcal{W}}),$$

so daß gilt:

i) $\mathit{w}: \tilde{y}^e \longrightarrow y^e$ über $\mathcal{J}_e$ bzgl. $\tilde{\mathcal{W}}$,

ii) $(\bar{v},\mu,c) \equiv 0 \bmod \mathit{m}^e$,

iii) $\bar{v}|\mathcal{M}' \equiv v \bmod(P_1^o)$,

iv) $\| (\bar{v},\mu,c)\|_{\tilde{\mathcal{W}}\rho} \leq \tilde{K} \max(\|v\|_{\mathit{m}'\rho}, \|\tilde{y}^e - y^e\|_{\tilde{\mathcal{U}}\rho})$.

Beweis. Ist $y^e = (P^e,g^e)$ und $\tilde{y}^e = (\tilde{P}^e, \tilde{g}^e)$, und setzt man $(\pi,\gamma) := (\tilde{P}^e_1 - P^e_1,\ \tilde{g}^e - g^e)$, so ist (π,γ) nach Corollar (7.5) ein Cozyklus; genauer gilt $d^o v = (\pi,\gamma)$ bzgl. $\mathcal{M}'$. Die Existenz von $\bar{v}$ mit

$$\mathrm{id} + \bar{v}: \tilde{y}^e \longrightarrow y^e \text{ über } \mathcal{J}_e \text{ bzgl. } \tilde{\mathcal{W}}$$

folgt deshalb aus Lemma (7.8). Nun ist es leicht, $1 + \bar{v}$ durch

1 + μ und c zu einem $\mathfrak{w} \in C_*^o(\widetilde{\mathfrak{W}})$ zu ergänzen, das die Bedingungen (i) bis (iii) erfüllt. Die Abschätzung ergibt sich durch geeignete Anwendung des Banachschen Satzes über offene Abbildungen.

e) Wir definieren nun mit den aus (d) gewonnenen Größen

$$H^e := H^{e-1} + \bar{v}, \quad M^e := M^{e-1} + \mu, \quad C^e := C^{e-1} + c$$

und $\tilde{h}^e := (H^e, M^e, C^e)$. Damit gelten dann die Behauptungen (i), (ii) und (iii) des Satzes und die Abschätzung

$$\|\tilde{h}^e - \tilde{h}^{e-1}\|_{\widetilde{\mathfrak{W}}_\rho} = \|(\bar{v}, \mu, c)\|_{\widetilde{\mathfrak{W}}_\rho} \leq \tilde{K}K^*(\tilde{\sigma}^2 + \sigma)\gamma(\rho)^a,$$

wir können also $K_4 := \tilde{K}K^*$ setzen.

§ 20. Konvergenzbeweis
=======================

Wir benutzen jetzt die in den §§ 17 bis 19 gemachten Vorbereitungen, um die Konstruktion der versellen Deformation von X durchzuführen.

20.1. Festlegung der Konstanten. Wir beziehen uns auf die Abschätzungsdaten $(K_i, \sigma_i, \theta_i)$, $i = 1, \ldots, 4$, der Sätze (17.8), (18.2), (19.2), (19.3) und definieren:

$$K := \max(K_1, K_2, K_3, K_4)$$

$$L := 2K^2$$

$$\sigma_o := \min(\sigma_1, \sigma_2, \sigma_3, \sigma_4)$$

$$\varepsilon := \min\left(\frac{\sigma_o}{L}, \frac{1}{5K^5}\right).$$

Außerdem definieren wir den Multiradius $\rho := \theta\rho_o$ mit

$$\theta := \min(\theta_1(K\varepsilon), \theta_2(L\varepsilon), \theta_3(\varepsilon), \theta_4(L\varepsilon)).$$

20.2. Induktionsbehauptung. Wir konstruieren durch vollständige Induktion über $e \geq a$ folgende Daten:

a) Ideale $\mathcal{J}_e \subset \mathcal{H}_e$ mit Weierstraßfamilie $(\omega_\lambda^e)_{\lambda \in \Lambda}$.

b) e-reduzierte Cozyklen $x^e \in C^1(\mathcal{W})$ und $y^e \in C^1(\mathcal{U})$ über $\mathcal{J}_e$.

c) e-reduzierte Coketten $h^e \in C^0(\mathcal{W})$ und $\tilde{h}^e \in C_*^0(\tilde{\mathcal{W}})$.

Diese Daten haben folgenden Bedingungen zu genügen:

1.e) $\omega_\lambda^e \equiv \omega_\lambda^{e-1} \mod \mathfrak{m}^e$ für alle $\lambda \in \Lambda$,

2.e) $x^e \equiv x^{e-1} \mod \mathfrak{m}^e$,

3.e) $\tilde{h}^e \equiv \tilde{h}^{e-1} \mod \mathfrak{m}^e$,

4.e) $(y^e, h^e) = \text{Red}_{\mathcal{J}_e} \Omega(x^e)$,

5.e) $\tilde{h}^e \colon x^e \longrightarrow y^e$ über $\mathcal{J}_e$ bzgl. $\mathcal{W}$.

6.e) Das Diagramm

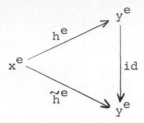

ist über $\mathcal{J}_e$ bzgl. $\mathcal{M}$ kommutativ.

7.e) Es gelten die Abschätzungen

i) $\|\omega_\lambda^e - \omega_\lambda^a\|_\rho \leq \varepsilon\gamma(\rho)^a$ für alle $\lambda \in \Lambda_o$,

ii) $\|x^e - x^a\|_{\mathcal{W}_\rho} \leq \varepsilon\gamma(\rho)^a$,

iii) $\|\widetilde{h}^e - \widetilde{h}^a\|_{\widetilde{\mathcal{W}}_\rho} \leq L\varepsilon\gamma(\rho)^a$.

Der Induktionsanfang wurde bereits in (15.7) behandelt. Der Induktionsschluß e $\Rightarrow$ e+1 erfolgt in vier Einzelschritten nach dem folgenden Schema:

	$\mathcal{M}$	$\mathcal{W}$	$\widetilde{\mathcal{W}}$	$\widetilde{\mathcal{N}}$	$\mathcal{N}$	
Ind.-Vor.	h^e	x^e	$\widetilde{h}^e$		y^e	ω_λ^e
1.Schritt				$\widetilde{y}^{e+1}$		ω_λ^{e+1}
2.Schritt		x^{e+1}				
3.Schritt	h^{e+1}				y^{e+1}	
4.Schritt			$\widetilde{h}^{e+1}$			

<u>1. Schritt:</u> Fortsetzung um eine Ordnung. Nach Satz (19.2) gilt wegen (4.e) und (7.e) die Abschätzung

$$\| y^e - y^a \|_{\mathscr{U}_\rho} \leq K\varepsilon\gamma(\rho)^a.$$

Der Satz (17.8) ist deshalb mit $\sigma = K\varepsilon$ anwendbar. Wir erhalten damit eine Erweiterung $\mathscr{J}_{e+1} \subset \mathscr{H}_{e+1}$ von $\mathscr{J}_e$ mit Weierstraßfamilie $(\omega_\lambda^{e+1})_{\lambda \in \Lambda}$ und einen $(e+1)$-reduzierten Cozyklus $\tilde{y}^{e+1} \in C^1(\tilde{\mathscr{U}})$ über $\mathscr{J}_{e+1}$ mit

a) $\quad \tilde{y}^{e+1} \equiv y^e \mod \mathscr{m}^{e+1}$,

b) $\quad \| \omega_\lambda^{e+1} - \omega_\lambda^e \|_\rho \leq K(K\varepsilon)^2 \gamma(\rho)^a$ für alle $\lambda \in \Lambda_o$,

c) $\quad \| \tilde{y}^{e+1} - y^e \|_{\tilde{\mathscr{U}}_\rho} \leq K(K\varepsilon)^2 \gamma(\rho)^a$.

Damit gilt (1.e+1) und wegen $K(K\varepsilon)^2 \leq \varepsilon$ ist auch die Abschätzung (7.e+1.i) erfüllt.

2. Schritt: Rückrechnung.
Der Satz (18.2) ist mit $\sigma = L\varepsilon$ und $\tau = K^3\varepsilon^2$ anwendbar. Wir erhalten einen $(e+1)$-reduzierten Cozyklus $x^{e+1} \in C^1(\mathscr{N})$ über $\mathscr{J}_{e+1}$ mit (2.e+1) und

d) $\quad \tilde{h}^e: x^{e+1} \longrightarrow \tilde{y}^{e+1}$ über $\mathscr{J}_{e+1}$ bzgl. $\mathscr{N}$,

e) $\quad \| x^{e+1} - x^e \|_{\mathscr{N}_\rho} \leq K(L^2\varepsilon^2 + K^3\varepsilon^2)\gamma(\rho)^a$.

Da $K(L^2\varepsilon^2 + K^3\varepsilon^2) \leq 5K^5\varepsilon^2 \leq \varepsilon$, ist die Abschätzung (7.e+1.ii) erfüllt.

3. Schritt: Glättung erster Art.
Der Satz (19.2) ist für die Ordnung $(e+1)$ mit $\sigma = \varepsilon$ anwendbar. Für

$$(y^{e+1}, h^{e+1}) := \text{Red}_{\mathscr{J}_{e+1}} \Omega(x^{e+1})$$

gelten deshalb die Abschätzungen

f) $\quad \| y^{e+1} - y^a \|_{\mathscr{U}_\rho} \leq K\varepsilon\gamma(\rho)^a$,

g) $\quad \| h^{e+1} - h^a \|_{\mathscr{m}_\rho} \leq K\varepsilon\gamma(\rho)^a$.

Wegen $x^{e+1} \equiv x^e \bmod \mathscr{m}^{e+1}$ und der Differenzierbarkeit von Ω gilt auch $y^{e+1} \equiv y^e \bmod \mathscr{m}^{e+1}$ und $h^{e+1} \equiv h^e \bmod \mathscr{m}^{e+1}$, woraus mit (a) folgt, daß $y^{e+1} \equiv \tilde{y}^{e+1} \bmod \mathscr{m}^{e+1}$.

<u>4. Schritt:</u> Glättung zweiter Art.

Aus (c) und (f) folgt

$$\|\tilde{y}^{e+1} - y^a\|_{\widetilde{\mathscr{u}}_\rho} \leq K\varepsilon\gamma(\rho)^a.$$

Satz (19.3) läßt sich deshalb für die Ordnung (e+1) mit den Konstanten $\sigma = K\varepsilon$ und $\sigma = L\varepsilon$ anwenden. Wir erhalten damit eine (e+1)-reduzierte Cokette $\tilde{h}^{e+1} \in C^o_*(\widetilde{\mathscr{X}})$, die (3.e+1), (5.e+1) und (6.e+1) erfüllt und der Abschätzung

$$\|\tilde{h}^{e+1} - \tilde{h}^e\|_{\widetilde{\mathscr{X}}_\rho} \leq K(K\varepsilon+(L\varepsilon)^2)\gamma(\rho)^a$$

genügt. Da $K(K\varepsilon+(L\varepsilon)^2) = (K^2+KL^2\varepsilon)\varepsilon \leq L\varepsilon$, ist auch (7.e+1.iii) erfüllt.

Damit ist der Induktionsschritt beendet.

<u>20.3.</u> Wir setzen

$$\omega := \lim_{e\to\infty} \omega^e_\lambda,$$

$$x := \lim_{e\to\infty} x^e.$$

Die Familie $(\omega_\lambda)_{\lambda\in\Lambda}$ definiert einen Unterkeim $S \subset B$. Das Element $x \in C^1(\mathscr{X})$ ist ein Cozyklus über S, definiert deshalb eine Deformation Y von X über S, die nach Konstruktion e-versell für jedes e ist. Nach dem Satz von Schuster-Wavrik (1.8) ist $Y \to S$ eine verselle Deformation von X.

Literaturverzeichnis
=====================

[1]   Bourbaki, N.: Algèbre commutative. Paris: Hermann 1961.

[2]   Cartan, H.: Sur les matrices holomorphes de n variables
        complexes. Journal de Math., 9e série, $\underline{19}$, 1-26 (1940).

[3]   Commichau, M.: Deformation kompakter komplexer Mannigfaltig-
        keiten. Math. Ann. $\underline{213}$, 43-96 (1975).

[4]   Douady, A.: Le problème des modules pour les sous-espaces
        analytiques compacts d'un espace analytique donné.
        Ann. Inst. Fourier $\underline{16}$, 1-95 (1966).

[5]   Douady, A.: Flatness and privilege. Topics in several complex
        variables, pp. 47-74. Monographie No. 17 de l'Enseignement
        Mathématique, Genève 1971.

[6]   Douady, A.: Le problème des modules locaux pour les espaces
        C-analytiques compacts. Annales scient. ENS, 4e série, $\underline{7}$,
        569-602 (1974).

[7]   Forster, O., Knorr, K.: Über die Deformationen von Vektorraum-
        bündeln auf kompakten komplexen Räumen. Math. Ann. $\underline{209}$,
        291-346 (1974).

[8]   Forster, O., Knorr, K.: Ein neuer Beweis des Satzes von
        Kodaira-Nirenberg-Spencer. Math. Z. $\underline{139}$, 257-291 (1974).

[9]   Forster, O.: Power series methods in deformation theory.
        Proceedings of Symposia in Pure Mathematics, vol. 30, Part 2,
        pp. 199-217 , AMS 1977.

10]   Frisch, J.: Points de platitude d'un morphisme d'espaces
        analytiques complexes. Invent. math. $\underline{4}$, 118-138 (1967).

[11] Godement, R.: Topologie algébrique et théorie des faisceaux.
      Paris: Hermann 1964.

[12] Grauert, H., Remmert, R.: Analytische Stellenalgebren. Berlin,
      Heidelberg, New York: Springer 1971.

[13] Grauert, H.: Über die Deformation isolierter Singularitäten
      analytischer Mengen. Invent. math. 15, 171-198 (1972).

[14] Grauert, H.: Der Satz von Kuranishi für kompakte komplexe Räume.
      Invent. math. 25, 107-142 (1974).

[15] Grothendieck, A.: Techniques de construction en géométrie
      analytique IX. Quelques problèmes de modules. Séminaire
      H. Cartan 13e année, exposé 16. ENS Paris 1960/61.

[16] Illusie, L.: Complexe cotangent et déformations I, II. Lecture
      Notes in mathematics, Vols. 239 (1971), 283 (1972).
      Springer-Verlag.

[17] Kerner, H.: Familien komplexer Räume zu gegebenen infinitesimalen
      Deformationen. Manuscripta math. 1, 317-337 (1969).

[18] Kodaira, K., Spencer, D.C.: A theorem of completeness for
      complex analytic fibre spaces. Acta math. 100, 281-294 (1958).

[19] Kodaira, K., Nirenberg, L., Spencer, D.C.: On the existence of
      deformations of complex analytic structures. Ann. of Math. II.
      Ser. 68, 450-459 (1958).

[20] Kuranishi, M.: On the locally complete families of complex
      analytic structures. Ann. of Math. 75, 536-577 (1962).

[21] Lang, S.: Real Analysis. Reading, Mass.: Addison-Wesley 1969.

[22] Lichtenbaum, S., Schlessinger, M.: The cotangent complex of a
      morphism. Trans. AMS 128, 41-70 (1967).

[23] Schlessinger, M.: Functors of Artin rings. Trans. AMS 130,
      208-222 (1968).

[24] Schuster, H.W.: Formale Deformationstheorien. Habilitationsschrift
      München 1971.

[25] Siu, Y.T.: Every Stein subvariety admits a Stein neighborhood.
      Inventiones math. 38, 89-100 (1976).

[26] Tjurina, G.N.: Locally semiuniversal flat deformations of isolated
      singularities of complex spaces. Mathematics of the USSR-
      Izvestija, 3, 967-999 (1969).

[27] Wavrik, J.J.: A theorem of completeness for families of compact
      analytic spaces. Trans. Amer. math. Soc. 163, 147-155 (1972).

[28] Palamodov, V.P.: Deformations of complex spaces. Russian
      Math. Surveys 31, No. 3, 129-197 (1976).

Index

141

Vol. 609: General Topology and Its Relations to Modern Analysis and Algebra IV. Proceedings 1976. Edited by J. Novák. XVIII, 225 pages. 1977.

Vol. 610: G. Jensen, Higher Order Contact of Submanifolds of Homogeneous Spaces. XII, 154 pages. 1977.

Vol. 611: M. Makkai and G. E. Reyes, First Order Categorical Logic. VIII, 301 pages. 1977.

Vol. 612: E. M. Kleinberg, Infinitary Combinatorics and the Axiom of Determinateness. VIII, 150 pages. 1977.

Vol. 613: E. Behrends et al., L^p-Structure in Real Banach Spaces. X, 108 pages. 1977.

Vol. 614: H. Yanagihara, Theory of Hopf Algebras Attached to Group Schemes. VIII, 308 pages. 1977.

Vol. 615: Turbulence Seminar, Proceedings 1976/77. Edited by P. Bernard and T. Ratiu. VI, 155 pages. 1977.

Vol. 616: Abelian Group Theory, 2nd New Mexico State University Conference, 1976. Proceedings. Edited by D. Arnold, R. Hunter and E. Walker. X, 423 pages. 1977.

Vol. 617: K. J. Devlin, The Axiom of Constructibility: A Guide for the Mathematician. VIII, 96 pages. 1977.

Vol. 618: I. I. Hirschman, Jr. and D. E. Hughes, Extreme Eigen Values of Toeplitz Operators. VI, 145 pages. 1977.

Vol. 619: Set Theory and Hierarchy Theory V, Bierutowice 1976. Edited by A. Lachlan, M. Srebrny, and A. Zarach. VIII, 358 pages. 1977.

Vol. 620: H. Popp, Moduli Theory and Classification Theory of Algebraic Varieties. VIII, 189 pages. 1977.

Vol. 621: Kauffman et al., The Deficiency Index Problem. VI, 112 pages. 1977.

Vol. 622: Combinatorial Mathematics V, Melbourne 1976. Proceedings. Edited by C. Little. VIII, 213 pages. 1977.

Vol. 623: I. Erdelyi and R. Lange, Spectral Decompositions on Banach Spaces. VIII, 122 pages. 1977.

Vol. 624: Y. Guivarc'h et al., Marches Aléatoires sur les Groupes de Lie. VIII, 292 pages. 1977.

Vol. 625: J. P. Alexander et al., Odd Order Group Actions and Witt Classification of Innerproducts. IV, 202 pages. 1977.

Vol. 626: Number Theory Day, New York 1976. Proceedings. Edited by M. B. Nathanson. VI, 241 pages. 1977.

Vol. 627: Modular Functions of One Variable VI, Bonn 1976. Proceedings. Edited by J.-P. Serre and D. B. Zagier. VI, 339 pages. 1977.

Vol. 628: H. J. Baues, Obstruction Theory on the Homotopy Classification of Maps. XII, 387 pages. 1977.

Vol. 629: W. A. Coppel, Dichotomies in Stability Theory. VI, 98 pages. 1978.

Vol. 630: Numerical Analysis, Proceedings, Biennial Conference, Dundee 1977. Edited by G. A. Watson. XII, 199 pages. 1978.

Vol. 631: Numerical Treatment of Differential Equations. Proceedings 1976. Edited by R. Bulirsch, R. D. Grigorieff, and J. Schröder. X, 219 pages. 1978.

Vol. 632: J.-F. Boutot, Schéma de Picard Local. X, 165 pages. 1978.

Vol. 633: N. R. Coleff and M. E. Herrera, Les Courants Résiduels Associés à une Forme Méromorphe. X, 211 pages. 1978.

Vol. 634: H. Kurke et al., Die Approximationseigenschaft lokaler Ringe. IV, 204 Seiten. 1978.

Vol. 635: T. Y. Lam, Serre's Conjecture. XVI, 227 pages. 1978.

Vol. 636: Journées de Statistique des Processus Stochastiques, Grenoble 1977, Proceedings. Edité par Didier Dacunha-Castelle et Bernard Van Cutsem. VII, 202 pages. 1978.

Vol. 637: W. B. Jurkat, Meromorphe Differentialgleichungen. VII, 194 Seiten. 1978.

Vol. 638: P. Shanahan, The Atiyah-Singer Index Theorem, An Introduction. V, 224 pages. 1978.

Vol. 639: N. Adasch et al., Topological Vector Spaces. V, 125 pages. 1978.

Vol. 640: J. L. Dupont, Curvature and Characteristic Classes. X, 175 pages. 1978.

Vol. 641: Séminaire d'Algèbre Paul Dubreil, Proceedings Paris 1976-1977. Edité par M. P. Malliavin. IV, 367 pages. 1978.

Vol. 642: Theory and Applications of Graphs, Proceedings, Michigan 1976. Edited by Y. Alavi and D. R. Lick. XIV, 635 pages. 1978.

Vol. 643: M. Davis, Multiaxial Actions on Manifolds. VI, 141 pages. 1978.

Vol. 644: Vector Space Measures and Applications I, Proceedings 1977. Edited by R. M. Aron and S. Dineen. VIII, 451 pages. 1978.

Vol. 645: Vector Space Measures and Applications II, Proceedings 1977. Edited by R. M. Aron and S. Dineen. VIII, 218 pages. 1978.

Vol. 646: O. Tammi, Extremum Problems for Bounded Univalent Functions. VIII, 313 pages. 1978.

Vol. 647: L. J. Ratliff, Jr., Chain Conjectures in Ring Theory. VIII, 133 pages. 1978.

Vol. 648: Nonlinear Partial Differential Equations and Applications, Proceedings, Indiana 1976-1977. Edited by J. M. Chadam. VI, 206 pages. 1978.

Vol. 649: Séminaire de Probabilités XII, Proceedings, Strasbourg, 1976-1977. Edité par C. Dellacherie, P. A. Meyer et M. Weil. VIII, 805 pages. 1978.

Vol. 650: C*-Algebras and Applications to Physics. Proceedings 1977. Edited by H. Araki and R. V. Kadison. V, 192 pages. 1978.

Vol. 651: P. W. Michor, Functors and Categories of Banach Spaces. VI, 99 pages. 1978.

Vol. 652: Differential Topology, Foliations and Gelfand-Fuks-Cohomology, Proceedings 1976. Edited by P. A. Schweitzer. XIV, 252 pages. 1978.

Vol. 653: Locally Interacting Systems and Their Application in Biology. Proceedings, 1976. Edited by R. L. Dobrushin, V. I. Kryukov and A. L. Toom. XI, 202 pages. 1978.

Vol. 654: J. P. Buhler, Icosahedral Golois Representations. III, 143 pages. 1978.

Vol. 655: R. Baeza, Quadratic Forms Over Semilocal Rings. VI, 199 pages. 1978.

Vol. 656: Probability Theory on Vector Spaces. Proceedings, 1977. Edited by A. Weron. VIII, 274 pages. 1978.

Vol. 657: Geometric Applications of Homotopy Theory I, Proceedings 1977. Edited by M. G. Barratt and M. E. Mahowald. VIII, 459 pages. 1978.

Vol. 658: Geometric Applications of Homotopy Theory II, Proceedings 1977. Edited by M. G. Barratt and M. E. Mahowald. VIII, 487 pages. 1978.

Vol. 659: Bruckner, Differentiation of Real Functions. X, 247 pages. 1978.

Vol. 660: Equations aux Dérivée Partielles. Proceedings, 1977. Edité par Pham The Lai. VI, 216 pages. 1978.

Vol. 661: P. T. Johnstone, R. Paré, R. D. Rosebrugh, D. Schumacher, R. J. Wood, and G. C. Wraith, Indexed Categories and Their Applications. VII, 260 pages. 1978.

Vol. 662: Akin, The Metric Theory of Banach Manifolds. XIX, 306 pages. 1978.

Vol. 663: J. F. Berglund, H. D. Junghenn, P. Milnes, Compact Right Topological Semigroups and Generalizations of Almost Periodicity. X, 243 pages. 1978.

Vol. 664: Algebraic and Geometric Topology, Proceedings, 1977. Edited by K. C. Millett. XI, 240 pages. 1978.

Vol. 665: Journées d'Analyse Non Linéaire. Proceedings, 1977. Edité par P. Bénilan et J. Robert. VIII, 256 pages. 1978.

Vol. 666: B. Beauzamy, Espaces d'Interpolation Réels: Topologie et Géometrie. X, 104 pages. 1978.

Vol. 667: J. Gilewicz, Approximants de Padé. XIV, 511 pages. 1978.

Vol. 668: The Structure of Attractors in Dynamical Systems. Proceedings, 1977. Edited by J. C. Martin, N. G. Markley and W. Perrizo. VI, 264 pages. 1978.

Vol. 669: Higher Set Theory. Proceedings, 1977. Edited by G. H. Müller and D. S. Scott. XII, 476 pages. 1978.